Vous avez aimé ce livre ?

Venez nous en parler sur la page Facebook de L'Esprit d'ouverture :
https://www.facebook.com/esprit.douverture

Inscrivez-vous à la newsletter : recevez des informations en avant-première sur les nouvelles parutions, découvrez les coups de cœur du directeur de collection, Fabrice Midal, et participez aux jeux-concours et autres surprises exclusives. Connectez-vous sur : www.espritdouverture.fr, rubrique newsletter.

APPRENTISSAGE DE LA MÉDITATION

Comment vivre dans la plénitude

SHARON SALZBERG

APPRENTISSAGE DE LA MÉDITATION

Comment vivre dans la plénitude

Préface de Fabrice Midal

*Traduit de l'américain
par Patricia Lavigne*

belfond

Titre original :
REAL HAPPINESS
The Power of Meditation
publié par Workman Publishing Company, Inc.,
New York

Retrouvez-nous sur
www.belfond.fr
ou www.facebook.com/belfond

Éditions Belfond,
12, avenue d'Italie, 75013 Paris.
Pour le Canada,
Interforum Canada, Inc.,
1055, bd René-Lévesque-Est,
Bureau 1100,
Montréal, Québec, H2L 4S5.

ISBN 978-2-7144-5312-9

Belfond | un département **place des éditeurs**

place
des
éditeurs

Préface

Une révolution

Une véritable révolution de notre conception de l'existence autant que de nos modes de vie a vu le jour à travers le développement de la méditation en Occident. Nous ne sommes qu'aux prémices du phénomène, et pourtant la méditation s'impose déjà, aux États-Unis, comme une alliée indispensable, aussi bien dans les prisons que dans les écoles ou les entreprises.

En quoi cette pratique est-elle si révolutionnaire ?

À une époque de crise majeure – crise économique, écologique et éthique –, elle offre un chemin pour permettre à chacun de retrouver un peu de paix, une vie plus juste et plus épanouie. Il n'est pas nécessaire pour cela d'adopter une nouvelle doctrine, il s'agit simplement de diriger d'une manière consciente son attention vers la réalité au lieu de chercher à la fuir. Quand la plupart des discours nous invitent à fermer les yeux, méditer nous apprend à les ouvrir.

Il faut, nous dit-on sans cesse, être plus efficace, plus rapide. Tranchant avec cette dictature de l'utilité, la méditation ne prétend pas nous permettre de tout dominer, elle nous aide à retrouver ce qui importe vraiment, à faire les choix importants. Elle nous permet de retrouver le lien réel, si souvent mis à mal, avec notre propre humanité.

Un enseignement responsable

Si la méditation s'impose, il en existe de nombreuses formes : laquelle choisir ? Comment la pratiquer ?

Quand j'ai commencé à enseigner, il y a une quinzaine d'années, je me suis tourné vers le bouddhisme américain que je trouvais très dynamique et mature. J'ai été en particulier frappé par l'enseignement de Sharon Salzberg qui, en 1976, avait fondé avec Jack Kornfield *The Insight Meditation Society* (IMS), aujourd'hui l'un des centres les plus importants. Sharon Salzberg est peu à peu devenue l'une des grandes voix de la transmission de la méditation en Occident.

Comme ces grands aînés, j'ai appris à méditer auprès d'extraordinaires maîtres orientaux. Comme eux, j'ai reçu le cœur d'un enseignement ancien et profond. Mais comment passer à mon tour le flambeau ?

Nombre d'enseignants français se contentaient de répéter ce qu'ils avaient entendu. Ce n'était pas du tout vivant, leurs propos me semblaient empesés et bien trop religieux. Ils s'habillaient à l'orientale, répétaient des mots que personne ne comprenait ; comment une telle attitude aurait-elle pu aider qui que ce soit dans la vie quotidienne ?

Pire encore, je voyais des gens ressortir de ces expériences conditionnés à adorer un gourou.

Aux États-Unis, une génération d'enseignants avait pris le risque de cesser de répéter des concepts bouddhiques, de laisser tomber les rituels ésotériques orientaux et le carcan religieux pour parler directement de leur expérience. Sans prétendre être des maîtres éveillés, leur enseignement était concret, simple et ancré dans la réalité. Il parlait à tout le monde. Il était honnête et solide – sans rien sacrifier de l'esprit de la tradition.

Ce fut l'une de mes inspirations pour fonder, en 2006, l'École occidentale de méditation.

Aussi c'est aujourd'hui une grande joie pour moi d'être l'éditeur de ce livre de Sharon Salzberg dans lequel elle présente pour la première fois l'essentiel de la méditation.

Dès sa création, la collection L'Esprit d'ouverture s'est efforcée de promouvoir en France des auteurs qui ouvrent de nouveaux chemins à tous ceux qui souhaitent vivre de manière plus heureuse et épanouie. C'est ma ligne de conduite, depuis le tout premier livre, *L'Apprentissage du bonheur*, du célèbre professeur de bonheur à Harvard Tal Ben-Shahar.

Publier cet ouvrage de Sharon Salzberg répond donc à la fois à mon engagement d'éditeur – soucieux d'introduire en France des auteurs majeurs – et à mon engagement d'enseignant bouddhiste.

Ce livre est un guide pratique sur le chemin de la méditation. Sortir des centres religieux ou de la sphère médicale pour s'adresser à tous, tel est le défi que nous devons relever. Et ce livre est précieux, car Sharon Salzberg a écrit un texte personnel et concret, pratique et novateur, profond mais libre de tout jargon.

En un sens, ce livre est très simple.

Un enfant pourrait sans doute le lire et faire les exercices qui y sont présentés car, comme le dit l'auteur, « si vous pouvez respirer, vous pouvez méditer » !

Il est aussi très profond, nourri d'une vie consacrée à la pratique et à l'enseignement de la méditation. Un enseignement destiné aux hommes et aux femmes du XXIᵉ siècle, c'est-à-dire chacun d'entre nous qui sommes submergés de tâches à accomplir, avec si peu de temps libre, et angoissés par des sollicitations incessantes. En ce sens, il est formidablement pédagogique. Je suis particulièrement sensible à la manière dont Sharon Salzberg, loin des discours convenus, déjoue les nombreux pièges qui accompagnent trop souvent la présentation de la méditation.

Le premier piège est d'en faire une sorte de promesse idéale et irréaliste. Méditer nous permettrait de « trouver la paix » et de nous délivrer du stress. Comme le reconnaît Salzberg : « La méditation m'a rendue heureuse, aimante et paisible, mais pas de manière constante. J'ai toujours de bons et de mauvais moments, des joies et des chagrins. Simplement, aujourd'hui, j'accepte mieux les revers et je me laisse moins facilement dominer par mes sentiments de déception ou d'échec. » Il est temps de tenir un discours adulte. Méditer, explique Sharon Salzberg, c'est apprendre à ne plus être dépendant des circonstances extérieures. C'est le sens du sous-titre de l'ouvrage, « *Comment vivre dans la plénitude* » : accepter les hauts et les bas de l'existence, apprendre à vivre avec.

Un autre piège est la tentation de tirer profit de la méconnaissance du sujet par les lecteurs pour dire n'importe quoi. Certains auteurs ont même prétendu que la méditation guérirait de toutes les maladies ! On nage en plein obscurantisme.

La méditation et les femmes

Il est important de remarquer que le bouddhisme américain a su donner naissance à plusieurs grandes enseignantes. C'est un séisme dans l'histoire du bouddhisme, qui s'est souvent développé dans des cultures sexistes. Ce changement est décisif et perçu comme tel dans le monde anglo-saxon, où le phénomène est largement reconnu et célébré. Ces femmes ont osé se détacher des traditions spirituelles patriarcales, et se sont engagées à parler directement à partir de leur expérience et de leur cœur. Elles avaient souvent un métier, des enfants, et ne cherchaient pas un refuge, une tour d'ivoire protectrice, mais une manière de mieux s'ouvrir à chaque moment de leur vie sans séparer le sacré du profane, la méditation de la vie quotidienne, la vie contemplative de l'action concrète. Leur enseignement renouvelle en profondeur la transmission de la pratique de la méditation pour l'inscrire dans notre monde.

Réguler nos émotions et cultiver la bienveillance

Le talent propre à Sharon Salzberg est de voir dans la bonté et la bienveillance des qualités que chacun de nous peut redécouvrir en lui. Parmi tous les grands livres qui existent, cet ouvrage réussit à unir la pratique de l'attention, la régulation de nos émotions et le souci de cultiver bienveillance et affection.

Lier aussi directement ces trois éléments est primordial.

Nous ne pouvons pas nous contenter de développer un sens d'attention et de présence au moment présent. Nous avons aussi besoin de faire naître une plus grande bienveillance et tendresse envers les autres comme envers nous-mêmes. Sans cette base profonde et solide, la pratique de la méditation risque d'être une simple fuite en avant, une façon de se détacher des difficultés de la vie quotidienne. Nombre de pratiquants de la première génération ont cru que méditer impliquait d'être détaché de tout, d'entrer dans la « vacuité », de faire la guerre à son ego. Salzberg montre très bien la fausseté de cette conception. Non, explique-t-elle, méditer consiste aussi à adopter une attitude bienveillante envers soi.

Cessez de lutter contre votre prétendu « ego » – apprenez simplement à être bienveillant envers vous-même comme envers les autres.

Fabrice MIDAL

À mes enseignants, qui ont compris en profondeur le pouvoir de la méditation et n'ont jamais douté de mes capacités à le percevoir (comme tout être humain).

Introduction

Réserviste dans l'armée, Ben a commencé la méditation après avoir rejoint les forces actives américaines en
Iraq. Je suis devenue son instructrice, via Internet. Il
avait l'impression, m'a-t-il confié, que la méditation
l'aiderait à affronter le stress et les traumatismes quotidiens tout en demeurant fidèle à ses valeurs profondes.

Sarah voulait être une bonne mère. Elle souhaitait
apprendre à méditer pour devenir plus patiente et
mieux gérer les relations complexes à l'intérieur de sa
nouvelle famille recomposée.

Diane a suivi mon enseignement dans le cadre de son
emploi de responsable de service au sein d'une grosse
agence de médias. Outre un meilleur équilibre entre sa
vie professionnelle et sa vie familiale, elle recherchait un
moyen de communiquer clairement et sans stress avec
ses collègues, y compris en période de crise.

Jerry, qui fut l'un des premiers pompiers à arriver sur
les lieux du World Trade Center après l'attentat du
11 Septembre, doit aujourd'hui faire face aux conséquences psychologiques de cette épreuve. Elena a
besoin de se concentrer pour préparer son examen
d'agent immobilier. Rosie espère mieux supporter son

mal de dos chronique. Lisa, qui dirige une petite entreprise de restauration, voudrait sortir de cet état de somnambulisme dans lequel elle se sent la majeure partie du temps. « J'avance en pilote automatique, m'a-t-elle confié. Je suis tellement obsédée par tout ce que j'ai à faire et par l'avenir que je passe complètement à côté du présent. C'est comme si ma vie se déroulait à mon insu. »

J'ai modifié le nom de mes étudiants ainsi que certains détails les concernant, mais les motivations qui les ont poussés à méditer et les multiples façons dont cette pratique a transformé leur existence sont parfaitement conformes à la réalité.

En trente-six ans, j'ai enseigné la méditation à des milliers de personnes, que ce soit à l'Insight Meditation Society (Association de méditation de la vision profonde) que j'ai cofondée en 1976 à Barre, Massachusetts, ou au sein d'écoles, d'entreprises, d'organismes gouvernementaux ou de centres sociaux partout dans le monde. J'ai présenté les techniques que vous vous apprêtez à découvrir à des groupes d'entrepreneurs de la Silicon Valley, d'instituteurs, de policiers, de sportifs, d'adolescents, d'aumôniers, d'infirmiers militaires, de médecins, d'infirmières, de grands brûlés, de prisonniers, de travailleurs sociaux de centres d'accueil pour victimes de violences conjugales et de jeunes parents. Mes étudiants viennent de tous horizons, qu'il s'agisse de leurs parcours de vie, de leurs origines ethniques ou de leurs traditions religieuses.

Et leur choix semble refléter une tendance nationale puisqu'un sondage de 2007 (le plus récent dont nous disposions) du Centre national des statistiques de santé révèle que, cette année-là, plus de vingt millions d'Américains avaient pratiqué la méditation au cours des douze mois ayant précédé cette enquête. Selon les réponses des personnes concernées, la pratique de la méditation visait à améliorer leur bien-être global, à lutter contre le stress, l'anxiété, la douleur, la dépression ou l'insomnie, et à mieux supporter les symptômes et la tension psychique liés à des pathologies chroniques comme les maladies cardiaques ou le cancer.

J'ai également découvert que certains avaient recours à la méditation pour améliorer leurs capacités de discernement et donc leurs décisions, pour se débarrasser d'habitudes désagréables, ou se remettre plus rapidement de leurs déceptions. D'autres espéraient ainsi se rapprocher de leur entourage, se sentir mieux dans leur corps et leur esprit, ou avoir le sentiment de faire partie d'un tout plus vaste que leur personne. Et, parce que l'existence humaine est remplie de dangers réels, potentiels et imaginaires, nombreux sont ceux qui recherchent à travers la méditation un plus grand sentiment de sécurité, de confiance et de calme, ou de sagesse. Derrière toutes ces motivations résident deux vérités essentielles : nous souhaitons tous être heureux, nous sommes tous vulnérables à la douleur et aux changements imprévisibles et incessants de la vie.

Je vois tous les jours des pratiquants novices, y compris parmi les plus sceptiques, parvenir à transformer peu à peu leur existence. Comme me l'a enseigné mon expérience personnelle, la méditation nous apporte une plus grande tranquillité d'esprit et accroît notre sentiment d'unité intérieure. Elle nous rapproche de nos émotions, nous permet de renforcer nos liens avec autrui et d'affronter nos peurs. C'est ce qui m'est arrivé.

J'ai commencé à méditer à dix-huit ans, en 1971, alors que j'effectuais un séjour en Inde durant ma première année d'études universitaires. À cette époque, j'étais en quête d'outils pratiques susceptibles de m'aider à atténuer la souffrance et l'état de confusion dans lesquels m'avait laissée une enfance douloureuse et chaotique. Mon père était parti quand j'avais quatre ans, ma mère était morte lorsque j'en avais neuf, et j'avais été élevée par mes grands-parents jusqu'à ce que mon grand-père décède à son tour, l'année de mes onze ans. Mon père avait alors effectué une brève réapparition, avant de faire une tentative de suicide qui l'avait envoyé dans un établissement psychiatrique d'où il n'est jamais ressorti.

Alors que j'entrais à l'université, j'avais déjà par cinq fois été confrontée à la perte d'un proche. J'avais le sentiment d'être constamment abandonnée. D'autant que les personnes qui s'occupaient de moi, si attentionnées soient-elles, étaient incapables de parler ouvertement de ce qui m'arrivait. J'avais fini par penser que je ne méritais pas grand-chose dans la vie. Je gardais pour moi le chagrin, la colère et la confusion immenses qui m'habitaient, fortifiant ainsi ma conviction profonde d'être indigne d'amour. Je cherchais de tout mon cœur un sentiment d'appartenance, une source fiable d'amour et de réconfort.

À seize ans, je suis entrée à l'université d'État de New York, sur le campus de Buffalo. C'est là, en deuxième année, que j'ai découvert le bouddhisme, à l'occasion d'un cours de philosophie orientale. J'ai été séduite par la manière dont celui-ci reconnaissait l'existence de la souffrance, sans peur ni honte, comme partie intégrante de l'existence. Cette vision des choses m'a permis de me sentir moins isolée. Soudain, je n'étais plus la seule à souffrir ! Selon Bouddha, un prince né en Inde en 563 avant J.-C. et devenu maître spirituel : « Tu auras beau parcourir le monde entier, tu ne trouveras personne plus digne de ton amour que toi-même. » Non seulement le Bouddha déclarait qu'il était possible de s'aimer soi-même, mais en outre il présentait cet amour de soi comme le socle sur lequel pouvaient se développer l'amour et l'attention pour les autres. Cette philosophie m'offrait un moyen d'apaiser la douleur due à ma confusion et à mon désespoir. Malgré des doutes et des interrogations sur le sujet, l'idée de passer de la haine à l'amour de moi-même m'attirait puissamment. Je ne cherchais pas une nouvelle religion, juste un peu de soulagement face à la tristesse qui m'habitait.

Je suis alors partie en Inde dans le cadre d'un programme d'études indépendant. Sur place, j'ai entendu parler d'un instructeur renommé qui conduisait des retraites de méditation ouvertes aux débutants. J'ai ressenti une pointe de déception en découvrant que la méditation était beaucoup moins exotique que je ne l'avais imaginé : pas d'enseignements mystiques délivrés dans une salle obscure chargée d'une aura surnaturelle. À la place, ce premier maître a ouvert la session inaugurale en déclarant « Asseyez-vous confortablement et suivez votre respiration ». « Que je suive ma respiration ? J'aurais aussi bien pu rester à Buffalo pour suivre ma respiration ! » me suis-je aussitôt rebellée intérieurement. Pourtant, j'ai rapidement compris à quel point le simple fait de me concentrer sur mon inspiration et mon expiration pouvait changer ma vie. Cette attention à mon souffle me donnait l'occasion de me relier à ce que je vivais dans l'instant d'une manière pleine et totalement nouvelle – d'une manière qui m'autorisait à faire preuve d'un surcroît de bienveillance à mon égard et d'une plus grande ouverture aux autres.

En apprenant à regarder au fond de moi, j'ai découvert la source de bonté qui existe en chacun de nous. Je me suis rendu compte que cette bonté, si profondément enfouie soit-elle, n'est jamais totalement absente. Alors, peu à peu, j'ai découvert que je méritais d'être heureuse, et que nous le méritons tous. À présent, quand je rencontre un inconnu, je me sens plus proche de lui, car je sais tout ce que nous partageons. Et quand je me rencontre en méditant, je n'ai plus l'impression de croiser une inconnue.

Grâce à la méditation, des changements profonds et subtils ont affecté ma façon de penser et de me situer dans le monde. J'ai compris que rien ne m'obligeait à m'identifier à celle que je croyais être enfant ni à me limiter à ce dont je me croyais capable hier, voire une heure plus tôt. La pratique de la méditation m'a libérée de mon ancienne définition de moi-même, ce conditionnement qui me poussait à me percevoir comme un être indigne d'amour. Contrairement à ce que j'imaginais quand j'ai commencé à méditer à l'université, je n'ai pas accédé à un état de béatitude. La méditation m'a rendue heureuse, aimante et paisible, mais pas de manière constante. J'ai toujours de bons et de mauvais moments, des joies et des chagrins. Simplement, aujourd'hui, j'accepte mieux les revers et je me laisse moins facilement dominer par mes sentiments de déception ou d'échec. Car la méditation m'a appris à affronter cette vérité profonde : tout est en perpétuel changement.

1

QU'EST-CE QUE LA MÉDITATION ?
(Ou : Si vous pouvez respirer, vous pouvez méditer)

Directe et simple (mais pas facile), la méditation consiste essentiellement à aiguiser son attention afin de devenir plus conscient non seulement de ce qui se déroule en soi, mais aussi autour de soi, dans l'ici et maintenant. À partir du moment où l'on discerne clairement ce qui se passe dans l'instant, on peut choisir ou non d'y réagir, et de quelle façon.

Au cours des quatre prochaines semaines, nous explorerons les principes de la méditation de la vision profonde, pratique simple et directe de l'attention instant après instant. Nous commencerons par développer notre attention en nous concentrant sur un objet particulier (le plus souvent notre respiration) et en laissant passer tout ce qui détourne notre esprit de cette observation. Puis nous élargirons le champ de notre attention afin d'y inclure chaque pensée, chaque sentiment ou chaque sensation survenant dans l'instant.

Depuis des milliers d'années, des individus transforment leur esprit en méditant. Même si de nos jours la méditation se pratique souvent en dehors de tout système de croyance, il existe des exercices de contemplation sous une forme ou une autre dans toutes les grandes traditions religieuses. Selon les orientations, la méditation se pratique dans le silence et l'immobilité, par l'écoute de la voix et des sons, ou en mouvement. Dans tous les cas, il s'agit d'affiner son attention.

L'ATTENTION, ENCORE L'ATTENTION, TOUJOURS L'ATTENTION

Selon William James, le père de la psychologie américaine au début du XXᵉ siècle, notre expérience est déterminée par ce à quoi nous acceptons de prêter attention. Notre esprit se modèle uniquement à partir de ce que nous remarquons. À son niveau le plus basique, l'attention (ce que nous nous autorisons à remarquer) détermine bel et bien la manière dont nous expérimentons le monde et le traversons. C'est notre faculté à la canaliser et à la soutenir qui nous permet de chercher du travail, de jongler, d'apprendre les mathématiques, de préparer des crêpes, de viser et frapper la boule numéro 8 au billard, de protéger nos enfants, ou de réaliser une opération chirurgicale. Grâce à elle, nous pouvons faire preuve de discernement face aux événements, de sensibilité dans nos relations intimes et poser un regard lucide sur nos émotions et nos motivations. L'attention fixe notre degré d'intimité avec nos expériences ordinaires et détermine notre sentiment global de connexion avec la vie.

Le contenu et la qualité de notre existence dépendent de notre niveau de conscience – un fait dont nous sommes cependant rarement… conscients. Peut-être avez-vous déjà entendu cette histoire, généralement attribuée à un vieil Indien d'Amérique, qui souligne le pouvoir de l'attention. Alors qu'il donne une leçon de vie à son petit-fils, un grand-père (il s'agit parfois d'une grand-mère) explique : « J'ai deux loups qui se battent dans mon cœur. L'un est vindicatif, craintif, envieux, rancunier, plein de ressentiment, fourbe. L'autre est aimant, compatissant, généreux, loyal et serein.
— Lequel des deux va gagner ? interroge le petit garçon.
— Celui que je nourrirai », répond le grand-père.

Pourtant, ce n'est là qu'un aspect de la réalité. Effectivement, tout ce qui retient notre attention s'épanouit. C'est pourquoi, en nous focalisant sur le négatif et l'insignifiant, nous risquons de passer à côté du positif et de l'essentiel. Mais si, à l'inverse, nous refusons de voir ou d'affronter les aspects éprouvants ou douloureux de l'existence en niant leur réalité, notre monde se détraquera tout autant. Car tout ce qui ne retient pas notre attention se flétrit – c'est-à-dire descend au-dessous de notre niveau de conscience sans pour autant cesser d'affecter notre vie. De façon perverse, ignorer ce qui provoque de la souffrance ou nier les difficultés revient à nourrir le méchant loup. La méditation nous apprend à accorder notre attention à l'ensemble de l'expérience humaine et à chaque aspect de nous-mêmes.

Je suis sûre que vous avez déjà ressenti ce sentiment d'éparpillement causé par la dispersion de votre attention entre le travail et la famille, les divertissements électroniques ou les bavardages de votre mental : la prise de bec de ce matin avec votre compagnon qui se rejoue dans votre tête, vos inquiétudes concernant l'avenir ou vos regrets en songeant au passé, la répétition en boucle de votre programme de la journée. Certaines de ces bandes-son sont parfois de vieilles rengaines datant de l'enfance, et si souvent entendues que nous n'en avons quasiment plus conscience. Il peut s'agir de jugements acerbes nous concernant ou de croyances et d'idées toutes faites sur les choses ou les situations en général (par exemple : « Les jeune filles ne se conduisent pas ainsi », « On ne peut pas faire confiance aux hommes/ femmes », « Il faut toujours viser la première place »).

Parfois, on ne se rend même plus compte du contenu des messages que l'on s'adresse, uniquement de l'angoisse qu'ils laissent dans leur sillage. Ce fonctionnement quotidien est souvent le résultat du conditionnement de toute une vie, le fruit des leçons, verbalisées ou non, reçues de nos parents et de la société très tôt dans notre enfance.

Ce fractionnement de l'attention peut être assez déconcertant et donner la vague impression d'être à côté de soi, voire absent. Il se traduit parfois par un sentiment dépressif et un épuisement lié à la difficulté de suivre tant de pensées instables et dispersées, quand il ne se révèle pas simplement dangereux (pensez à ce qui arrive aux automobilistes distraits). Mais il existe d'autres manières de tomber dans un sommeil mortel, par exemple, en délaissant ses relations, en oubliant de remarquer ce qui compte vraiment pour nous, ou en l'ignorant. Nous passons à côté de beaucoup de choses par manque d'attention ou parce que notre certitude de déjà tout savoir de la situation présente nous fait négliger une nouvelle information importante.

La méditation nous apprend à nous concentrer, à demeurer attentifs et ouverts aux expériences qui se présentent, aux réactions qu'elles suscitent, et à les observer sans les juger. Cette attitude nous permet de détecter des schèmes de pensée nocifs dont nous n'avions pas conscience jusqu'alors. Ainsi, nous arrive-t-il parfois de baser nos actes sur des idées que nous n'avons jamais remises en cause (« Je ne mérite pas d'être aimé », « On ne peut pas raisonner les gens », « Je suis incapable de faire face aux situations difficiles ») et qui nous enferment dans des fonctionnements stériles. À partir du moment où nous remarquons ces automatismes et la façon dont ils nous empêchent de prêter attention au moment présent, un plus grand discernement nous rend capables d'effectuer de meilleurs choix. Il nous devient alors possible de faire preuve de plus de compassion, d'authenticité et de créativité dans nos relations avec les autres.

COMMENT LA MÉDITATION RENFORCE L'ATTENTION : LES TROIS FACULTÉS CLÉS

Tous les types de méditation renforcent et canalisent l'attention en cultivant trois facultés essentielles : la concentration, la pleine conscience et la compassion, ou amour bienveillant.

La concentration stabilise et focalise l'attention, ce qui permet de se dégager des distractions environnantes, lesquelles nous vident de notre énergie. De ce point de vue, la concentration nous recharge. La première technique méditative présentée ci-dessous est aussi simple qu'efficace. Elle vous aidera à améliorer votre concentration en vous polarisant sur une action que vous faites depuis toujours : respirer. Cette pratique consiste à prêter attention à chaque inspiration et chaque expiration, à noter ce qui vous a rendu inattentif quand votre esprit s'est égaré (ce qui arrivera, c'est naturel), puis à lâcher sans vous blâmer cette pensée ou ce sentiment pour revenir au souffle. De cette façon, la méditation nous entraîne à rester dans l'instant présent au lieu de ressasser le passé ou de nous soucier du futur. Elle nous enseigne également à nous traiter, nous-mêmes et les autres, avec sensibilité, à pardonner nos fautes et à passer à autre chose. Vous en apprendrez plus sur la concentration au cours de la Semaine 1.

La pleine conscience aiguise l'attention, créant ainsi une connexion totale et directe avec tout ce qu'apporte l'existence. La méditation de pleine conscience déplace notre point focal d'un objet unique – la respiration – vers tout ce qui surgit sur l'instant en nous ou à l'extérieur de nous. Elle permet d'être attentif aux pensées, aux émotions, aux images, aux odeurs, aux sons sans s'attarder sur ce qui semble agréable, repousser ce qui est éprouvant ou ignorer le neutre. On devient alors expert dans l'art de se surprendre soi-même en remplaçant ses anciens automatismes par une appréciation plus juste de ce qui se passe réellement dans l'instant.

À quoi ressemble une réaction automatique et quel sentiment procure-t-elle ? Imaginons, par exemple, que quelqu'un nous mette en colère par une remarque désagréable. Sous le coup de l'émotion, nous risquons de riposter de manière réactionnelle, irréfléchie et violente. Ou, si nous avons coutume de nous juger (« J'éprouve de la colère, donc je ne suis pas quelqu'un de bien »), nous nierons cette colère. Refoulée, elle s'envenimera ou enflera. À moins que nous n'ayons l'habitude de projeter nos émotions dans un futur éternellement identique au présent (« Je suis colérique et le resterai toujours. C'est sans espoir ! »). Autant de réflexes qui ont peu de chances d'aboutir à une conclusion heureuse.

En revanche, en abordant l'expérience de la colère en pleine conscience, nous pourrons nous approcher de l'émotion au lieu de la fuir, et l'examiner plutôt que l'étouffer. Nous la prendrons en compte sans la juger et serons en mesure de rassembler un plus grand nombre d'informations sur ce qui s'est produit au moment où la rage s'est emparée de nous : ce qui l'a déclenchée, dans quelle région du corps elle s'est exprimée, ainsi que les autres émotions qu'elle dissimulait, comme la tristesse, la peur ou le regret.

Nous autoriser à observer sans jugement ce qui a réellement eu lieu créera un îlot de sérénité à partir duquel il sera possible d'effectuer des choix différents et de changer notre mode de réaction habituel face à la colère. Ainsi deviendrons-nous capables de briser de vieux schémas. Nous pourrons décider d'avoir une conversation apaisée avec celui ou celle qui nous a contrariés au lieu de bouillir ou de cracher notre venin, choisir de quitter la pièce le temps de nous calmer, ou nous concentrer quelques instants sur notre respiration pour nous apaiser et prendre du recul. Plus tard, après notre séance de méditation, il nous sera possible de réfléchir aux situations dans lesquelles nous avons tendance à perdre notre sang-froid.

La pleine conscience permet de mieux appréhender l'écart entre la réalité et les scénarios que nous échafaudons à son propos, lesquels font barrage à l'expérience directe. Souvent, ces récits confondent ce qui n'est qu'un état d'esprit passager avec notre moi global et permanent. L'un de mes exemples favoris pour illustrer ce genre de confusion m'a été fourni par l'une de mes étudiantes. Après une journée particulièrement stressante, celle-ci s'est rendue à son cours de gymnastique et, alors qu'elle se changeait dans le vestiaire, a troué son collant. Agacée, elle a lancé à la femme qui se trouvait à côté d'elle : « Il faut que je change de vie !

— Ce n'est pas la peine, lui a répondu son interlocutrice. Un nouveau collant suffira. »

Vous en apprendrez plus sur la pleine conscience au cours des Semaines 2 et 3. Durant la Semaine 2, nous examinerons le lien entre corps et pleine conscience. En Semaine 3, nous étudierons comment il est possible de gérer nos émotions en pleine conscience.

CE QUE N'EST PAS LA MÉDITATION

Beaucoup de gens ont une conception erronée de la méditation. Avant de commencer, permettez-moi de rectifier certaines idées reçues.

La méditation n'est pas une religion. Nul besoin d'être bouddhiste ou hindou ; vous pouvez méditer en étant athée ou en suivant les préceptes de votre propre religion. Ben, le soldat qui méditait pendant sa mission en Iraq, estimait que sa pratique l'aiderait à rester en contact avec ses valeurs chrétiennes. Les techniques enseignées dans cet ouvrage peuvent être mises en œuvre dans le cadre de n'importe quelle tradition religieuse ou de manière totalement profane.

La méditation ne requiert aucune compétence ni formation particulière. La méditation ne s'adresse pas à quelques personnes particulièrement douées ou déjà remplies de sérénité. Nul besoin d'être un as de l'immobilité assise, d'attendre de retrouver son calme, d'avoir éliminé la caféine de son organisme ni d'étudier quoi que ce soit. La méditation peut se pratiquer sans préalable. Quiconque est capable de respirer, est capable de méditer.

La méditation ne demande pas que l'on y consacre tout son temps. Notre objectif sera des sessions de vingt minutes quotidiennes. Si vous le souhaitez, vous pouvez commencer par cinq minutes et augmenter un peu plus chaque jour. (Vous trouverez une présentation plus détaillée du nombre et de la durée des sessions page 59 ainsi que dans la partie « Suggestion » de chaque chapitre.) Le bien-être procuré par votre pratique vous donnera probablement envie de prolonger les sessions, mais ce n'est pas indispensable. L'important est de s'installer dans une pratique quotidienne quelle qu'en soit la durée, pas de se démener pour y consacrer plusieurs heures par jour.

La méditation n'empêche pas de se sentir triste ou d'avoir des moments difficiles. Vous connaîtrez toujours des hauts et des bas, des périodes de joie ou de chagrin. Mais, parce que la méditation nous enseigne à affronter les difficultés autrement, vous vous sentirez moins ébranlé par les coups durs et supporterez mieux l'adversité.

La méditation ne vise ni à empêcher de réfléchir ni à privilégier les pensées positives. Ce serait d'ailleurs impossible. Cette pratique permet d'identifier ses pensées, de les observer, de les comprendre et de s'y relier avec plus de justesse. (J'aime les termes « juste » et « non juste » qu'emploient les bouddhistes pour qualifier les comportements humains au lieu de nos traditionnels « bon » et « mauvais ». Les actions non justes sont celles qui causent de la douleur et de la souffrance ; les actions justes celles qui conduisent au discernement et à l'équilibre.)

Vous n'avez pas à abandonner vos opinions, vos objectifs ou vos passions, ni à fuir le plaisir pour méditer. Un jour, une étudiante m'a demandé : « Dois-je arrêter de désirer pour commencer à méditer ? — Non, ai-je répondu. Vous devez simplement modifier la manière dont vous abordez votre désir : y prêter attention, l'explorer, comprendre ce qu'il dissimule. » Choisir de donner une place à la méditation dans sa vie ne signifie pas renoncer au monde réel des relations humaines, des responsabilités, des carrières professionnelles, de la politique, des passions ou des manifestations festives. Cela revient au contraire à se donner la liberté de s'engager plus en profondeur dans ce qui nous intéresse vraiment, souvent d'une façon plus saine.

Il ne s'agit pas de se regarder le nombril. La méditation n'est ni de la complaisance ni de l'égocentrisme. Certes, elle permet d'en apprendre davantage sur soi, mais cette connaissance vous aidera à mieux comprendre les autres et à vous sentir plus proche d'eux. Une relation harmonieuse avec soi-même constitue le premier pas vers de bonnes relations avec les autres.

La bienveillance est une conscience compatissante et aimante qui éveille notre attention et en élargit le champ. Elle transforme notre attitude vis-à-vis de nous-mêmes mais aussi de nos proches. Prendre le temps de prêter attention à ses pensées, ses sentiments et ses actions (positives ou négatives) et de les accueillir avec compréhension ouvre le cœur. Cette façon d'être permet de s'aimer sincèrement pour ce que l'on est avec toutes ses imperfections. Or cette ouverture est le chemin qui conduit à l'amour des autres. Nous sommes en effet mieux à même d'avoir un regard lucide sur les gens et de les apprécier dans toute leur complexité si nous savons déjà nous apprécier et à être attentifs à nous-mêmes. Il devient alors plus facile de se comporter avec bienveillance que de céder à l'agacement, de nous rapprocher d'un parent ou d'un ami en oubliant les blessures passées, d'avoir un geste amical envers quelqu'un qu'on aurait ignoré auparavant, ou encore de trouver comment entrer plus facilement en relation avec une personne antipathique. Durant la Semaine 4, nous découvrirons les techniques appropriées pour accroître notre compassion envers nous-mêmes et envers autrui.

Au cours du programme de vingt-huit jours que vous vous apprêtez à suivre, vous aiguiserez ces capacités de manière systématique. Ces cours hebdomadaires seront divisés en plusieurs parties : la Présentation du programme de la semaine ; la Pratique proprement dite ; une Foire aux questions (à savoir celles le plus fréquemment posées par mes étudiants) ; des Observations sur les enseignements les plus profonds de la semaine et des Suggestions destinées à faciliter la mise en œuvre de la méditation dans votre vie quotidienne.

Jamais les bienfaits de la méditation ne m'ont paru aussi indispensables qu'à notre époque. Les gens que je rencontre lors de mes déplacements me parlent constamment de leur angoisse et de leur impression de morcellement face aux exigences et aux sollicitations d'un monde compliqué rempli de terreurs potentielles. La méditation peut leur apporter une sensation d'unité et de sécurité en même temps que la conscience de la présence au fond d'eux-mêmes d'un îlot de calme empreint de confiance qui leur est propre.

Mes interlocuteurs me font également part de leur tristesse face à la brutalité et au danger de polarisation qu'ils observent dans la vie sociale, ainsi que de leur sentiment d'isolement et de solitude dans la sphère privée. Ils ont soif de coopération, de communication et d'esprit communautaire. La méditation, qui enseigne la bienveillance, la compassion et la patience, constitue un moyen simple et direct d'améliorer ses relations avec sa famille, ses amis, et tous ceux dont nous croisons la route.

Beaucoup s'avouent découragés en constatant que leur réussite ne leur a pas apporté plus de sérénité et que la satisfaction que procure la possession de biens matériels ne dure qu'un temps. Même si la gloire et les gadgets ont leur place dans notre existence, seule une pratique qui sera vecteur de bien-être intérieur et permettant d'affronter la peine et la perte peut conduire au véritable bonheur.

2

POURQUOI MÉDITER ?
(Les bienfaits de la méditation vus par la science)

Si vous souhaitez commencer dès à présent votre programme de méditation, rendez-vous en Semaine 1, page 54. Sinon, prenez un moment pour en apprendre plus sur les bienfaits de la méditation au quotidien et les récentes découvertes scientifiques à ce sujet – à savoir, que la méditation est peut être aussi nécessaire à votre bien-être que l'exercice physique.

La méditation est une activité pragmatique. Elle a la même fonction sur les plans psychologique et émotionnel qu'un programme d'entraînement sportif au niveau physiologique. Si vous courez régulièrement, vous en constatez les effets : plus de muscles, des os renforcés, une énergie accrue. De la même manière, en méditant quotidiennement, vous obtenez des résultats indéniables. J'en ai déjà mentionné quelques-uns plus haut, comme un plus grand calme intérieur, une meilleure concentration et un sentiment accru de connexion à autrui. Mais ces bénéfices ne sont pas les seuls. Je détaillerai les autres un peu plus loin et vous expliquerai toutes les étapes qui vous mèneront de l'apprentissage de la concentration à une vie transformée.

La première chose à faire consiste à examiner les idées toutes faites qui vous barrent le chemin du bonheur. Ces croyances que nous entretenons sur nous-mêmes ou la façon dont tourne le monde : ce que nous méritons, ce que nous sommes capables de gérer, les sources de bonheur, la possibilité ou non de changer dans le bon sens – autant d'éléments largement influencés par notre manière d'être attentifs et les objets de cette attention.

J'ai eu l'occasion de me rendre compte de l'impact de ce genre d'a-priori lors d'une visite à la National Portrait Gallery de Washington, où j'étais venue admirer l'œuvre d'une amie sculpteur. J'avais parcouru avidement toutes les salles, m'arrêtant sur chaque pièce, chaque piédestal, dans l'espoir de trouver ce que je cherchais, sans succès. Finalement, je me dirigeais vers la sortie quand soudain, en levant les yeux, j'ai aperçu son superbe travail. Contrairement à ce que je m'étais imaginé, il ne s'agissait pas d'une œuvre en ronde-bosse mais d'un bas-relief fixé au mur. L'idée que je m'en étais fait m'avait mis des œillères et avait failli m'empêcher de voir ce qui était réellement là : son œuvre magnifique. De la même manière, nos préjugés nous dissimulent ce qui se trouve juste devant nous : un inconnu susceptible de devenir un ami, un adversaire présumé qui pourrait de fait se révéler une aide précieuse. Parce qu'ils s'interposent entre nous et l'expérience directe, les a-priori nous empêchent d'appréhender les informations susceptibles de nous réconforter et de nous soulager, ou celles qui, si tristes et douloureuses soient-elles, nous permettraient de prendre des décisions plus judicieuses.

Voici quelques idées toutes faites que vous reconnaîtrez peut-être : « Nous n'avons rien en commun » ; « Je n'y arriverai jamais » ; « On ne peut pas discuter avec quelqu'un comme ça » ; « « Demain sera exactement comme aujourd'hui » ; « Si je le veux vraiment, je réussirai à le/la/les contrôler » ; « J'ai besoin de sensations fortes pour me sentir vivant » ; « J'ai tout fichu en l'air, je ferais mieux d'arrêter » ; « Je n'ai pas besoin d'écouter, je sais déjà ce qu'elle/il va dire » ; « Le bonheur c'est pour les autres ». Les affirmations de ce style sont motivées par la peur, le désir, l'ennui ou l'ignorance. Les idées préconçues nous relient au passé, obscurcissent le présent, limitent notre vision du possible et nous éloignent de la joie.

Vous arrêterez de vous limiter. L'un des premiers effets de la méditation est souvent la prise de conscience d'un type de réflexe conditionné spécifique, et jusqu'alors insoupçonné, et qui consiste à s'imposer des restrictions inconscientes. Nous découvrons comment nous sabotons notre développement et nos réussites simplement parce qu'on nous a appris à nous contenter de peu. La méditation permet de se rendre compte que ces limites ne sont ni inhérentes à nous-mêmes ni immuables. Elles nous ont été inculquées et peuvent être désapprises, à condition de les identifier. (Voici quelques-uns de ces présupposés limitatifs courants : « Elle a l'intelligence, et toi la beauté » ; « Les gens comme nous n'ont aucune chance » ; « Les gosses de ce quartier ne deviennent pas médecins »). Aiguiser son attention par la méditation permet d'ouvrir les yeux. Ainsi, nous nous donnons la possibilité d'évaluer ces réponses conditionnées au moment où elles se présentent, de faire bon usage de celles qui semblent contenir une part de vérité et laisser les autres de côté.

Vous supporterez mieux les passages difficiles. En nous montrant comment nous ouvrir de manière saine à toutes les expériences – douloureuses, agréables et neutres –, la méditation nous enseigne à demeurer amicaux avec nous-mêmes, dans les bons comme dans les mauvais moments. Pendant sa pratique, nous apprenons à rester en contact avec les émotions et les pensées pénibles, si effrayantes et intenses soient-elles, dans une attitude d'acceptation, sans aviver notre blessure par le feu de l'autocritique. C'est dans les périodes de doute ou de souffrance que la méditation élargit le plus nos perspectives et développe notre courage et nos capacités d'exploration. Comment ce courage augmente-t-il ? Petit à petit. Pas après pas, sans jamais que nous nous sentions dépassés ou écrasés, nous apprivoisons des sentiments qui jusqu'alors nous terrifiaient : « J'ai réussi à m'asseoir et à regarder en face certaines de mes pensées les plus désespérées comme je le fais des plus follement optimistes : sans les juger. Il m'a fallu de la force. Que puis-je affronter d'autre avec autant de courage ? » La méditation nous prouve que nous avons les moyens d'accomplir des choses dont nous nous pensions incapables.

Vous retrouverez au fond de vous ce qui compte vraiment. En regardant au-delà des distractions et des réactions conditionnées, vous aurez une vision plus claire des rêves, des valeurs et des objectifs qui vous tiennent le plus à cœur.

Vous disposerez d'une ressource toujours accessible en cas d'urgence. La méditation constitue le nec plus ultra des utilitaires portables : vous pouvez vous en servir n'importe où, n'importe quand, en toute discrétion. Il existe un tas de situations dans lesquelles évacuer la pression en sortant faire un tour, en allant à la gym ou en prenant un bain est tout simplement inenvisageable (par exemple lors d'une dispute au bureau, ou encore si vous conduisez un bus rempli de gamins turbulents se rendant à un match de foot). En revanche, il est toujours possible de réguler son humeur sur le rythme de sa respiration. Au cours de la Semaine 1, vous apprendrez à méditer où que vous soyez.

Vous vous rapprocherez de ce qu'il y a de meilleur en vous. La pratique de la méditation cultive des qualités comme la bienveillance, la confiance et la sagesse, que vous estimez peut-être ne pas posséder, mais qui sont en réalité simplement sous-développées ou dissimulées par le stress et les distractions. Vous serez en mesure d'accéder à ces qualités plus souvent et plus facilement.

Vous retrouverez l'énergie que vous perdiez à essayer de contrôler l'incontrôlable. Je me souviens d'avoir conduit une retraite de méditation en Californie pendant laquelle il n'a cessé de pleuvoir. On se serait cru en pleine mousson. J'étais désolée pour les participants, et j'avais peur que ce temps moite et désagréable gâche leur retraite. En fait, je m'en sentais coupable. Pendant plusieurs jours, j'ai eu envie de m'excuser auprès de tout le monde, puis je me suis dit : « Attends une minute. Je ne suis même pas Californienne ; je viens du Massachusetts. Ce n'est pas mon climat, c'est le leur. Ce serait plutôt à eux de s'excuser ! » Jusqu'à ce qu'une voix plus sage rectifie : « Il fait le temps qu'il fait. C'est une situation, point. »

Nous connaissons tous ce genre d'attitude, quand nous nous estimons responsables du plaisir ou du bien-être de tous. C'est notre boulot, pensons-nous, de régler la température et le degré d'humidité, ou de contrôler les gens qui nous entourent (si seulement nous pouvions persuader notre partenaire d'arrêter de fumer, de regarder la carte ou de suivre un régime !). Nous pensons même avoir le pouvoir de maîtriser totalement nos émotions : « Je ne devrais jamais ressentir d'envie, de rancune ou de mépris ! C'est horrible ! Je vais arrêter ». Autant dire : « Je ne m'enrhumerai plus jamais. » Bien sûr, nous pouvons influer sur nos expériences physiologiques et émotionnelles, mais il nous est impossible de les déterminer. Nous n'avons aucun moyen de choisir les émotions qui surgissent en nous. En revanche, grâce à la méditation, il est possible de modifier notre manière d'y réagir et de nous épargner un nouveau détour par une voie de souffrance aussi familière que souvent empruntée. La reconnaissance de notre manque de contrôle (sur les sentiments qui émergent en nous, les personnes ou le temps qu'il fait) nous aide à poser des limites plus saines au travail et à la maison – à cesser de vouloir passer notre temps à changer tout le monde. Elle permet aussi d'arrêter que nous nous flagellions à chaque émotion que nous éprouvons, libérant ainsi une énergie utilisable à d'autres fins.

Vous comprendrez comment aborder le changement le mieux possible, en acceptant l'inévitable et en croyant au possible. La plupart d'entre nous affichent une attitude mitigée, souvent paradoxale, face au changement. Certains estiment toute transformation impossible ; ils s'estiment voués à reproduire leur vie durant les mêmes comportements. D'autres espèrent le changement tout en le redoutant : ils veulent y croire, car cela signifie que leur vie est susceptible de s'améliorer, mais le refusent simultanément, par peur de lâcher ce qui leur plaît et leur semble positif dans leur existence actuelle. Beaucoup d'entre nous aimeraient voir disparaître ce qui les dérange et garder uniquement ce qui leur plaît.

Lutter contre le changement est une tâche épuisante et stressante, car tout est impermanence : la joie, le chagrin, un bon repas, un empire puissant, nos sentiments, les gens qui nous entourent, nous-mêmes. La méditation nous aide à comprendre cette réalité – peut-être la vérité première de l'existence humaine, et celle que, nous, humains, refusons ou oublions le plus souvent. En particulier lorsqu'il s'agit du plus grand changement de tous : la mort. Que cela nous plaise ou non, nous vieillissons et mourons. (Dans l'épopée indienne du *Mahâbhârata*, un roi à qui l'on demande ce qui l'étonne le plus dans le monde a cette réponse : « Ce qui m'émerveille le plus, c'est que nous voyions des gens mourir tout autour de nous et continuions à croire que ça ne nous arrivera pas. ») La méditation permet de mieux accepter cette réalité profonde, à savoir que tout change constamment.

Pratiquer la méditation vous fera découvrir le changement à petite échelle. En suivant votre respiration tout en observant le va-et-vient de vos pensées, vous pourrez percevoir le flux incessant des éléments de votre expérience. Au cours d'une session, vous trouverez normal de passer par des hauts et des bas, et de voir monter à la surface de la conscience de nouvelles joies et de nouveaux conflits. Les séances ne se ressemblent pas toutes et permettent aussi bien de se trouver plongé dans une source de sérénité que de devoir subir fatigue, ennui, angoisse, colère ou tristesse. Il se peut que de vieux airs résonnent dans votre tête, que des souvenirs oubliés vous reviennent. Selon les moments, vous vous sentirez merveilleusement bien ou affreusement mal. Méditer quotidiennement nous rappelle que, si nous les examinons attentivement, les émotions douloureuses et les situations pénibles se transforment, que ni les unes ni les autres ne sont aussi solidement enracinées ni insupportables qu'elles le semblent au départ. La peur que nous éprouvons le matin peut avoir disparu l'après-midi, notre désespoir avoir fait place à une lueur d'optimisme. Même une situation difficile évolue d'instant en instant, bouge, vit. Ce qui se déroule au cours d'une méditation nous montre que nous ne sommes pas prisonniers de nos émotions, que des solutions existent, et qu'en dépit de notre peur il nous est possible de les trouver si nous les cherchons sans trêve.

Il ne s'agit pas là d'un optimisme béat postulant que tout se passera forcément bien, en accord avec nos désirs et notre calendrier. Plutôt d'une compréhension lucide qui nous donne le courage d'avancer vers l'inconnu et la sagesse de nous rappeler que, tant que nous sommes vivants, le champ des possibles existe. Certes, nous sommes incapables de contrôler le contenu de nos pensées et les émotions qu'elles soulèvent en nous ou de nous opposer à cette vérité universelle de la transformation perpétuelle. Tout au moins avons-nous le pouvoir de prendre du recul et de rester conscients de ce qui se passe dans le présent, ce qui peut être notre refuge.

La science a d'ailleurs prouvé récemment que le changement est également possible au niveau cellulaire.

SCIENCE ET MÉDITATION

À l'époque où j'étais au lycée, on nous apprenait comme une vérité irréfutable que la taille du cerveau et les circuits neuronaux étaient constitués une fois pour toutes avant l'âge adulte. Mais au cours des quinze dernières années, neuroscientifiques et psychologues ont démontré à maintes reprises la plasticité du cerveau, c'est-à-dire sa capacité à donner naissance à de nouveaux neurones et à former de nouvelles synapses. Tout au long de la vie, le cerveau modifie ses connexions et se remodèle lui-même en réponse à l'environnement, à diverses expériences, et à un entraînement approprié. Or la méditation fait partie de ces expériences transformatrices. De nombreuses études récentes attestent de l'impact significatif de la pratique méditative sur le fonctionnement neuronal et de ses effets bénéfiques sur la santé, l'humeur et le comportement.

Les progrès des techniques d'observation et d'imagerie cérébrale telles que l'IRM fonctionnelle ont permis d'étudier l'activité du cerveau au cours de la méditation et d'aboutir à des conclusions étonnantes. C'est ainsi que des équipes de chercheurs partout dans le monde ont découvert qu'au cours de la méditation les neurones tendent à harmoniser leurs signaux électriques afin de renforcer les principales structures cérébrales, parmi lesquelles celles qui se trouvent impliquées dans la prise de décision, la mémoire et la souplesse émotionnelle. Par ailleurs, la méditation améliorerait la communication entre les différentes zones cérébrales, ce qui aurait des conséquences positives sur la santé physique et psychique.

En 2005, une étude pionnière conduite par la neuro-scientifique Sara Lazar de l'université Harvard et de l'hôpital général du Massachusetts a montré un épaississement du tissu cérébral du cortex préfrontal gauche – région impliquée dans les processus cognitifs, émotionnels et le sentiment de bien-être – chez les personnes pratiquant la méditation de pleine conscience. Il est à noter que les sujets de cette étude n'étaient pas des moines tibétains restés en contemplation au fond d'une grotte pendant des années, mais de simples habitants de Boston, qui pour la plupart méditaient une quarantaine de minutes par jour. Les scanners cérébraux des plus âgés d'entre eux suggéraient également un effet positif et protecteur de la méditation qui viendrait contrer le phénomène d'amincissement du cortex qui accompagne généralement le vieillissement, et donc un effet protecteur contre la dégradation de la mémoire et les déficits cognitifs.

D'autres recherches du même ordre ont prolongé les travaux de Sara Lazar en prouvant l'existence d'un lien entre la méditation et le renforcement des zones cérébrales impliquées dans la mémoire, l'apprentissage et la souplesse émotionnelle. Ainsi, en 2009, la neuroscientifique Eileen Luders et son équipe du laboratoire de neuro-imagerie de l'université de Californie à Los Angeles, après avoir comparé les cerveaux de pratiquants expérimentés à ceux d'un groupe-témoin de non-méditants, ont trouvé plus de matière grise – le tissu cérébral chargé du traitement de l'information de niveau supérieur – chez les premiers, en particulier dans les zones en rapport avec l'attention, la conscience corporelle et la capacité à moduler ses réactions émotionnelles. « Nous savons que les gens qui méditent régulièrement ont une certaine capacité à cultiver les émotions positives, à conserver leur stabilité émotionnelle et à adopter des comportements conscients, conclut Eileen Luders. Les différences observées dans l'anatomie de leur cerveau pourraient nous aider à comprendre ces facultés exceptionnelles. »

Dans le cadre d'une autre étude publiée en 2010, Sara Lazar et son équipe ont scanné les cerveaux d'un groupe de volontaires avant et après huit semaines d'entraînement à la réduction du stress basée sur la pleine conscience (*Mindfulness-Based Stress Reduction* – MBSR). Ce programme réputé, qui associe méditation et yoga, vise à diminuer le stress de patients ayant des problèmes de santé. Les résultats ont montré des changements mesurables dans deux grandes zones cérébrales : un grossissement de l'hippocampe – impliqué dans la mémorisation et l'apprentissage – et un rétrécissement de l'amygdale – région du cerveau qui initie les réponses corporelles au stress. Cette réduction de la taille de l'amygdale correspondait au ressenti des participants, qui s'estimaient moins stressés qu'auparavant. Plus leur sensation de stress avait diminué, plus leur amygdale s'était réduite. Les scanners effectués à huit semaines d'intervalle sur le groupe-témoin qui n'avait pas suivi le programme MBSR n'ont, eux, montré aucun changement.

De plus en plus de recherches de ce genre mettent en évidence de manière mesurable ce que les pratiquants savent empiriquement depuis des siècles : la méditation renforce non seulement les circuits neuronaux liés à la concentration et à la résolution de problèmes, mais aussi notre sentiment de bien-être. En d'autres termes, la science prouve que la méditation rend les gens plus heureux.

« Nous savons à présent que le cerveau est le seul organe de notre corps destiné à subir des modifications générées par l'expérience et l'entraînement, affirme le Dr Richard Davidson, neuroplasticien. Le cerveau est une machine à apprendre. » Professeur de psychologie et de psychiatrie à l'université du Wisconsin, Richard Davidson est le directeur et fondateur du School's Center for Investigating Healthy Minds-CIHM (littéralement « centre universitaire de recherches sur le cerveau sain »). Créé en 2010, ce centre a pour objectif d'approfondir la nouvelle discipline que représente la neuroscience contemplative, d'étudier la manière dont les pratiques méditatives affectent les fonctions et la structure du cerveau, et les effets de ces modifications sur la santé physique et psychique.

Selon Davidson, ces nouvelles recherches sont d'autant plus encourageantes qu'elles prouvent l'aptitude de la méditation à remodeler le cerveau de manière à renforcer les qualités considérées par les psychologues comme indispensables au bonheur : la résilience, la sérénité, le calme et le sentiment d'une connexion empathique aux autres. « Nous ne prenons pas cette idée révolutionnaire suffisamment au sérieux, affirme Davidson. Les émotions, en particulier la joie, devraient être considérées au même titre que les habiletés motrices. Il est possible de les développer grâce à l'entraînement. » L'une de ses expérimentations (présentée en Semaine 4) prouve que la méditation bienveillante modifie effectivement le fonctionnement cérébral et permet d'accroître le niveau de compassion (voir pages 212-213) des individus. « Ce qu'attestent ces recherches, déclare Sara Lazar, c'est que, comme pour l'exercice physique, les bienfaits tirés de la méditation sont proportionnels à la pratique. Plus vous pratiquez, plus vous recueillez de fruits. »

Les scientifiques se sont également intéressés au rôle de la méditation sur le développement de l'attention. Une étude menée à l'université d'Emory par IRMf (imagerie par résonance magnétique fonctionnelle) a comparé un groupe de pratiquants expérimentés et un groupe de non-pratiquants durant la réalisation d'une tâche informatique. Les résultats ont montré que les premiers se laissaient moins troubler par leurs pensées et restaient plus facilement concentrés que le groupe-témoin lorsqu'on les bombardait de stimuli extérieurs. D'après les spécialistes, le simple fait de s'entraîner à fixer son attention par la méditation pourrait aider les patients atteints de dépression, d'anxiété, de stress post-traumatique ou de toute autre pathologie caractérisée par une rumination mentale excessive.

En 2007, des chercheurs de l'université de Pennsyl-vanie ont proposé à un groupe de non-pratiquants de suivre le programme MBSR de réduction du stress basé sur la pleine conscience. Ils ont ensuite comparé ce groupe à des méditants de longue date participant à une retraite d'un mois et à un groupe-témoin qui n'avait jamais médité. Après huit semaines d'entraînement, les nouveaux méditants ont amélioré leurs capacités à diriger et à fixer leur attention sur un objet spécifique. Quant aux personnes ayant une longue pratique de la méditation, elles ont démontré de plus grandes apti-tudes à gérer les conflits cognitifs – choisir de diriger son attention sur un objet particulier parmi plusieurs stimuli – et à filtrer les perturbations extérieures afin de rester concentrées. Au vu de ces résultats, la méditation pourrait s'avérer utile dans le traitement des troubles de déficit de l'attention/hyperactivité (TDAH) et renforcer les capacités cognitives et autres fonctions basées sur l'attention susceptibles de se détériorer avec l'âge.

L'entraînement de nos facultés d'attention par la méditation accroît également la rapidité avec laquelle nous traitons les informations qui nous parviennent. Confrontés à deux nouvelles informations visuelles quasi simultanées, nous avons généralement du mal à percevoir la seconde, car notre cerveau, aux ressources d'attention limitées, est déjà occupé à gérer la première. Ce phénomène s'appelle le « clignement attentionnel ». Pourtant, le fait de parvenir à détecter le second stimulus lorsqu'il succède moins rapidement au premier prouve qu'il est possible de réduire ce clignement attentionnel en s'entraînant. Intrigués par cette aptitude à améliorer notre fonctionnement cognitif, la neurobiologiste Heleen Slagter et ses collègues de l'université du Wisconsin ont recruté des cobayes désireux de participer à une retraite de méditation de trois mois afin de mesurer l'évolution de leur clignement attentionnel. Au terme de la retraite, ils se sont aperçus que les nouveaux pratiquants étaient capables de réduire considérablement leur clignement attentionnel. Cette étude prouve de manière incontestable que nous avons le pouvoir de développer et d'aiguiser nos capacités d'attention.

Voilà peut-être l'une des raisons pour lesquelles la méditation est si efficace sur les sportifs. Phil Jackson, célèbre entraîneur de basket et lui-même adepte de la méditation, a convaincu ses joueurs (tout d'abord, les Chicago Bulls, puis les L.A. Lakers) de se mettre à la méditation pour améliorer leur concentration et leur travail d'équipe. Jackson trouve que la pleine conscience aide les joueurs à rester attentifs à ce qui se passe sur le terrain instant après instant. L'intérêt de cet entraînement spécifique a prouvé tout son intérêt lors des matchs décisifs : Jackson a conduit plus d'équipes au sommet que n'importe quel entraîneur de l'histoire du basket américain.

Les effets bénéfiques de la méditation ne s'observent pas uniquement sur nos capacités cognitives, mais également sur notre système immunitaire. C'est ce que semble attester une étude que Davidson et ses collègues ont menée en collaboration avec le Dr Jon Kabat-Zinn, fondateur de la Clinique de réduction du stress au Centre médical de l'université du Massachussetts, et à l'origine de la MBSR. Les chercheurs ont examiné les cerveaux de plusieurs participants avant et après huit semaines d'entraînement à la réduction du stress basée sur la pleine conscience. Puis ils les ont comparés à ceux d'un groupe de non-pratiquants. Au terme de ce délai, on a inoculé aux sujets le virus de la grippe afin d'observer la réaction de leurs anticorps. Non seulement les participants au programme MBSR ont connu un accroissement de leur activité neuronale dans les régions associées à une réduction de l'anxiété et des émotions négatives au profit des positives, mais leur système immunitaire a produit bien plus d'anticorps que celui du groupe-témoin en réponse au vaccin. En d'autres termes, il semblerait exister une forte corrélation entre méditation, émotions positives et activité accrue du système immunitaire.

Suite à ces découvertes, certains médecins ont conseillé la méditation à leurs patients atteints de douleurs chroniques, d'insomnie et de déficiences immunitaires. Dans au moins douze États d'Amérique, des écoles publiques et privées proposent à leurs élèves un entraînement à la pleine conscience, et une étude pilote de l'université de Californie à Los Angeles a montré le rôle bénéfique de la méditation de pleine conscience sur des adultes et des adolescents victimes de troubles de déficit de l'attention/hyperactivité. Enfin, selon un article du *New York Times*, des psychiatres auraient introduit la méditation de pleine conscience dans leurs outils thérapeutiques ciblant en particulier les patients anxieux, dépressifs, ou obsessionnels compulsifs. Les thérapeutes commencent aujourd'hui à se rendre compte que la méditation a parfois un impact plus profond que les mots sur la manière de faire face aux expériences quotidiennes. D'après le psychologue Steven Hayes de l'université du Nevada : « C'est un changement de perspective selon lequel notre santé mentale ne dépend plus du contenu de nos pensées, mais de notre rapport à ce contenu – et de la transforma-tion de ce rapport grâce à l'accueil et l'observation de nos pensées et à un détachement progressif de la défini-tion restrictive de nous-mêmes dans laquelle nous nous enfermons. »

Le gouvernement américain fait partie des institu-tions qui considèrent la méditation comme un champ de recherche pertinent. Au cours des dix dernières années, le nombre d'études sur la méditation sponsorisées par le National Institutes of Health's National Center for Complementary and Alternative Medicine – NCCAM (Centre national de médecine alternative et complémen-taire de l'Institut national de santé) est passé de sept, en 2000, à quarante-sept, en 2010. Les projets actuels s'inté-ressent, entre autres, aux effets positifs de la méditation sur le niveau de stress du personnel responsable de personnes âgées séniles, sur les douleurs dorsales chroniques, les symptômes de l'asthme, et l'hypertension.

Par ailleurs, en 2008, le département de la Défense a mené plusieurs études cliniques rigoureuses sur différentes approches alternatives, parmi lesquelles la méditation, afin de traiter les dix-sept pour cent de soldats américains de retour d'Iraq ou d'Afghanistan présentant un syndrome de stress post-traumatique, ainsi que ceux – estimés à plus de 3 300 – atteints de lésions cérébrales traumatiques.

Pour beaucoup, la science est un outil de compréhension du monde qui leur permet de s'intéresser à des sujets auxquels ils n'auraient accordé aucune attention autrement. L'un des aspects les plus positifs de ces recherches, outre les bénéfices que pourront en tirer les individus directement concernés, c'est de donner la possibilité à un nombre toujours plus important de personnes de se tourner vers la méditation et d'en découvrir les multiples bienfaits.

Mais pour en profiter, il ne suffit pas de lire et d'admirer les fruits de la pratique. Il faut pratiquer soi-même.

OUVRIR LA PORTE D'UN COUP DE PIED

En 1988, lors de la cérémonie d'intronisation de Bob Dylan au sein du Rock and Roll Hall of Fame, le panthéon du rock, Bruce Springsteen a raconté dans quelles circonstances il avait découvert le chanteur. Il avait quinze ans et écoutait vaguement la radio pendant que sa mère conduisait, quand « Like a Rolling Stone »

s'était élevé dans l'habitacle. C'était comme si
« quelqu'un avait ouvert d'un coup de pied la porte de
mon esprit », a-t-il expliqué, tandis que sa mère
commentait : « Ce type chante comme une casserole. »
La réaction de Mme Springsteen nous rappelle que la
même expérience ne produit pas les mêmes effets sur
chacun. Et celle de son fils, qu'il est des moments dans
la vie où notre vision bascule, où nos certitudes s'effon-
drent et où nous découvrons de nouveaux horizons en
percevant pour la première fois qu'il est possible de
nous affranchir des obstacles qui nous empêchaient
d'être libres, de créer ou de prendre le risque de nous
lancer dans l'inconnu.

En de tels moments, nous sentons que demain pourrait bien être différent d'aujourd'hui : que le sentiment
d'échec qui nous plombait depuis toujours est susceptible de s'alléger, que nous ne nous réduisons pas à notre
anxiété et que la joie toujours remise à plus tard ou
l'amour tant espéré sont peut-être plus à notre portée
que nous ne l'imaginions.

Parfois, ce coup de pied dans la porte survient comme
un flash à l'écoute d'un morceau de musique, à la vue
d'un tableau, à la lecture d'un poème. Il peut résulter
d'une rencontre avec un être qui nous ouvre à sa vision
panoramique de la vie, avec une personne que l'on
admire et qui incarne nos valeurs les plus chères.
Soudain, la vie apparaît remplie de possibilités.

Il arrive également que ce soit la souffrance qui ouvre
la porte : on perd son emploi ou un ami ; on se sent trahi
et totalement incompris. Et tout à coup, du fond de son
chagrin, on ressent le besoin urgent d'aller chercher tout
au fond de soi la compréhension qui nous manque et un
sentiment de bien-être durable.

Peut-être lisez-vous ces mots parce que ce coup de pied dans la porte a été donné, et que vous êtes prêt à accueillir le changement. Mais souhaiter le changement de loin ou abstraitement sans s'y impliquer soi-même ne suffit pas. Nous devons l'initier nous-mêmes, avec réalisme et en l'intégrant dans notre quotidien. C'est ce que les quatre prochaines semaines d'apprentissage de la méditation nous aideront à réaliser.

La porte des possibles, du bonheur authentique et accessible est ouverte. Bienvenue. Entrez et asseyez-vous.

Semaine 1

CONCENTRATION
La respiration et l'art du recommencement

Imaginez que nous retrouvions toute l'énergie qui serait la nôtre si nous ne la dispersions pas et ne la gaspillions pas à regretter sans cesse le passé, à nous inquiéter pour l'avenir, à critiquer les autres ou nous-mêmes, à passer notre temps sur Facebook et à nous gaver de nourriture, de travail, de shopping et autres drogues douces.

La concentration est une stabilisation et une polarisation de l'attention qui permet de se détacher de tout ce qui nous distrait. Une fois l'attention fixée, l'énergie revient, et avec elle l'impression de reprendre contact avec la vie. Cette semaine, nous allons explorer les techniques qui permettent de développer sa concentration en se focalisant sur le souffle.

Parfois, les distractions viennent de l'intérieur : la vieille rengaine des erreurs d'autrefois et des regrets (« Pourquoi n'ai-je pas écouté mon père ? » ; « Si seulement j'avais épousé Jeffrey ! ») ou le souvenir obsessionnel d'injustices passées (« Comment a-t-elle pu m'accuser de l'avoir laissée tomber ? C'est moi qui ai pris sa défense ! »). Nous nous focalisons sur des événements que nous n'avons plus le pouvoir de contrôler. À moins que nous ne dilapidions notre énergie en rêveries obsessionnelles relatives à un futur imaginaire (« Que se passera-t-il si j'expose mes idées au comité et que je me fais descendre ? » ; « S'ils me volent mes idées sans reconnaître que j'en suis l'auteur, je démissionne ! »), et nous nous retrouvons dans le même état de panique que si ces malheurs fictifs s'étaient bel et bien produits. Mark Twain en avait sans doute fait l'expérience, qui disait : « J'ai traversé dans ma vie de terribles épreuves, dont seules quelques-unes étaient réelles. » Autre distraction de l'esprit : l'attitude d'attente constante dans laquelle nous nous plaçons, au point de ne plus voir la satisfaction que nous pouvons tirer du présent : « Je serai heureux quand j'aurai mon diplôme, quand j'aurai perdu cinq kilos, quand j'aurai la voiture/la promotion/la demande en mariage que j'attends, quand les enfants seront grands. »

Par ailleurs, les distractions extérieures ne manquent pas : tous ces tiraillements familiers entre activités familiales et professionnelles, l'omniprésence des médias, d'une culture consumériste et bruyante. Nous essayons souvent de combattre la douleur en transformant nos biens matériels en talismans contre le changement, la perte et la mort. Pour reprendre les mots du poète William Wordsworth : « À force d'acquérir, de dépenser, nous détruisons nos pouvoirs. »

Mais il n'y a pas que cela. Nous envoyons également des textos, surfons sur le Net, discutons sur Twitter, sur Skype, enregistrons en MP3. Récemment, une collègue a dirigé une session de réduction du stress pour des personnes qui estimaient souffrir d'un besoin excessif de divertissement, d'une incapacité à rester calmes et à simplement être. L'un des participants se plaignait de ses journées trop courtes, de se sentir déconnecté des siens et de se sentir perpétuellement anxieux. Lorsque mon amie lui a demandé comment il occupait son temps en général, il lui a avoué lire en moyenne quatre quotidiens par jour et regarder au minimum trois journaux télévisés.

Selon Alain de Botton, la redécouverte de notre pouvoir de concentration représente l'un des grands défis de notre temps. Dans son essai *On Distraction*, il affirme : « La dernière décennie a connu une attaque jamais égalée contre notre capacité à fixer notre esprit de manière stable sur quelque chose… S'asseoir immobile et réfléchir sans succomber à l'attrait d'une machine est devenu quasiment impossible. »

Linda Stone, ancienne cadre d'Apple et de Microsoft, a inventé l'expression « attention partielle continue » pour désigner cet état épuisant et envahissant que vous n'aurez probablement aucun mal à reconnaître. À l'origine, le fait de mener plusieurs tâches de front répondait à l'envie d'être plus efficace et de libérer un peu de temps pour ses amis, sa famille et les loisirs. « Mais l'attention partielle continue est motivée par le désir de ne rien manquer, écrit-elle. On téléphone en conduisant ; on discute à un dîner tout en rédigeant un texto sous la table… L'attention partielle continue naît du sentiment artificiel d'être constamment en état de crise et de vivre dans un monde en action vingt-quatre heures sur vingt-quatre, sept jours sur sept. Elle augmente l'impression d'être stressé, dépassé, soumis à un excès de stimulations, et insatisfait ; elle altère notre capacité à réfléchir, à prendre des décisions et à penser de manière créative. »

Il ne s'agit pas de bannir les jeux vidéo, le shopping et les informations télévisées. Ce que nous recherchons, c'est la modération : savoir ce que nous faisons au moment où nous le faisons au lieu d'avancer en pilote automatique et de transformer ces activités en habitudes. Il n'est pas question de mépriser les biens matériels, de se reprocher d'être accro aux infos, ni d'échapper à la vie actuelle, mais d'accorder du temps et de l'attention à ce que nous faisons, et de nous relier plus pleinement à la vie telle qu'elle se présente. La concentration permet d'appuyer sur le frein et de rester l'espace d'un instant en contact avec ce qui est là plutôt que de s'étourdir ou de se laisser engourdir, ou par une surabondance de stimulations.

L'effet le plus tangible du manque d'attention à soi se traduit par un sentiment diffus de morcellement, de décentrement, de dépossession de toute cohésion interne. On se compartimente, donnant à voir une personne différente au travail et à la maison. On peut ainsi avoir l'air assuré au bureau et fragile en famille, ou vice versa ; se montrer effacé face à son conjoint et boute-en-train avec ses amis. La meilleur part de soi, celle qui aime la patience et la compassion, ne ressemble pas à celle qui gifle ses enfants. Comme me l'a confié récemment un étudiant : « Je suis plein de bienveillance et de compassion pour tous les êtres vivants tant que je suis seul. Dès que je me retrouve en société, c'est vraiment difficile. » Pour certains d'entre nous, la situation est inversée : on se sent bien avec les autres et mal à l'aise en sa propre compagnie.

Bien sûr, chacun de nous est une combinaison de nombreux traits de caractère, d'états d'esprit, d'aptitudes et de motivations. Autant de facettes qui font toutes partie de notre personnalité et s'opposent parfois. C'est pourquoi nombre d'entre nous passent leur vie entière à tenter de résoudre et d'intégrer leurs caractéristiques et leurs besoins contradictoires – intimité et indépendance, force et fragilité. Or, à partir du moment où notre attention est éveillée, où nous sommes conscients de nous-mêmes, ces différents aspects s'harmonisent et s'équilibrent naturellement. La méditation – l'entraînement de l'attention – nous aide à trouver cette cohésion essentielle à notre bien-être.

SE PRÉPARER : QUESTIONS PRATIQUES

Où ?

Déterminez un endroit particulier où vous pourrez vous installer quotidiennement pour méditer. Il pourra s'agir d'un coin de votre chambre, de votre bureau, du sous-sol ou même du porche. Où que vous pratiquiez, choisissez un lieu dans lequel vous ne serez pas dérangé durant vos sessions. Éteignez votre téléphone, tous vos appareils mobiles et votre ordinateur portable et placez-les dans une autre pièce.

En général, les gens s'installent sur un coussin à même le sol. Si cette position ne vous convient pas, asseyez-vous sur une chaise de salle à manger ou de cuisine à dossier droit ou sur le canapé. Si vous ne pouvez pas rester en position assise, allongez-vous sur le dos, les bras le long du corps. Si vous êtes au niveau du sol, un oreiller ou un coussin de banquette fera l'affaire. Sinon, vous pouvez également acheter un coussin spécialement conçu pour la méditation ou un banc de méditation qui vous maintiendra en position assise, les genoux au sol. Certaines personnes décorent leur lieu de méditation d'images ou d'objets évocateurs. D'autres y laissent un ouvrage qui les inspire et dont ils lisent un court passage avant de méditer.

Comment ?

« Méfiez-vous de toute entreprise qui requiert de nouveaux habits », conseillait Thoreau. Il aurait été ravi d'apprendre que la méditation ne nécessite aucun équipement particulier. Le mieux, c'est de porter des vêtements amples et souples. Ne vous laissez pas arrêter sous prétexte que votre tenue est inconfortable.

Quand ?

Prévoyez de méditer à peu près à la même heure tous les jours. Certains préfèrent pratiquer dès le réveil, d'autres trouvent plus facile de le faire durant la pause déjeuner ou le soir, avant de se coucher. Cherchez le moment qui fonctionne le mieux pour vous. Puis engagez-vous vis-à-vis de vous-même et notez ce rendez-vous sur votre agenda.

Je vous suggère de commencer par trois fois trente minutes de méditation la première semaine. Mais si vous souhaitez démarrer par des sessions plus courtes que vous allongerez progressivement, c'est parfait. En revanche, décidez de leur durée avant de vous asseoir. (Réglez une sonnerie de réveil si cela vous rassure.) En Semaine 2, vous ajouterez un jour de méditation supplémentaire, puis un autre en Semaine 3, et encore deux en Semaine 4, de manière à avoir instauré une pratique quotidienne à la fin du mois.

En réservant une plage horaire fixe à la méditation dans votre emploi du temps, vous soulignerez l'importance que vous accordez à cette activité. Pourtant, une question fondamentale demeure : qu'est-ce qui vous décidera à vous asseoir sur ce coussin ou cette chaise ? Parfois, les gens se disent : « Si je n'ai pas une heure devant moi, je ne le fais pas. » Sachez que même cinq minutes, si vous ne disposez pas de plus, peuvent vous aider à reprendre contact avec vous-même.

La posture

À chaque début de session, réservez un peu de temps pour vous installer dans la posture. La première chose à faire, c'est d'habiter vraiment votre corps. Les composants posturaux de la méditation sont en usage depuis de nombreux siècles. Au départ, ils peuvent paraître déroutants et inconfortables, mais vous finirez par vous y habituer.

Les jambes : Si vous êtes sur un coussin, asseyez-vous jambes repliées devant vous, croisées l'une sur l'autre au niveau des chevilles ou juste au-dessus. (Si vos jambes s'engourdissent au cours de la méditation, intervertissez leur position ou surélevez-vous à l'aide d'un second coussin.) Les genoux doivent se trouver plus bas que les hanches. Les personnes qui ne parviennent pas à prendre cette position peuvent placer une jambe devant l'autre au lieu de les croiser. Il est également possible de se mettre à genoux, les fesses soutenues par un banc de méditation ou un coussin placé entre les cuisses. Si vous êtes sur une chaise, gardez les pieds bien à plat sur le sol. Ce contact vous aidera à rester droit et à respirer plus naturellement.

Le dos : Que vous soyez assis sur un coussin ou sur une chaise, la position de votre dos constitue la partie la plus importante de la posture. Tenez-vous droit, mais sans crispation ni rigidité. Représentez-vous votre colonne vertébrale comme un empilement de pièces bien alignées. La cambrure naturelle du dos au niveau des reins aide à vous soutenir. Garder la colonne droite permet de respirer plus naturellement et de rester vigilant. Pour

Une posture simple, avec les jambes croisées de façon décontractée.

être sûr de conserver une bonne posture, évitez de vous appuyer contre le dossier si vous êtes sur une chaise. Une fois votre colonne rectiligne, vos hanches, comme vos épaules, se placeront naturellement à même hauteur, et vous formerez un triangle stable et équilibré.

Les bras et les mains : Laissez vos mains se poser naturellement sur vos cuisses, paumes vers le bas. N'attrapez pas vos genoux et n'essayez pas de soutenir le poids de votre torse avec vos bras. Certains pratiquants préfèrent placer leurs mains comme suit : main droite à l'intérieur de la gauche, paumes tournées vers le ciel, les extrémités des pouces légèrement en contact et formant un triangle avec les autres doigts.

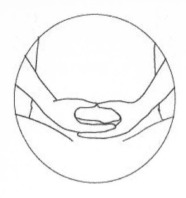

Certains pratiquants préfèrent placer leurs mains dans cette position.

La tête : Une fois assis, le dos droit, regardez devant vous à hauteur des yeux. Cela vous fera très légèrement incliner la tête en avant. Maintenez bien cette position au moment où vous baisserez le regard ou fermerez les paupières (voir ci-dessous). Gardez les épaules détendues ; si vous vous apercevez que vous les avez relevées, relâchez-les doucement.

Les yeux : Fermez les yeux délicatement, sans les froncer. Si vous vous sentez mieux en les gardant ouverts (ou si vous avez tendance à vous assoupir), fixez un point un peu plus bas, à environ deux mètres devant vous. Ne mettez aucune tension dans le regard – il ne doit ni s'éteindre ni devenir trop intense.

La mâchoire : Détendez la mâchoire et la bouche en gardant les dents très légèrement écartées. Un instructeur m'a un jour conseillé d'entrouvrir les lèvres juste assez pour y laisser passer un grain de riz.

PRÉSENTATION DE LA PRATIQUE

Cette semaine, l'apprentissage de la concentration aura pour but de maîtriser la myriade de distractions qui peuplent notre existence.

Vous débuterez au niveau le plus facilement réalisable et le plus intime : les sessions de méditation de la

Semaine 1 ont pour but de développer la concentration en observant le mouvement ascendant et descendant du souffle à l'intérieur du corps. Nous avons choisi de nous focaliser sur la respiration car il s'agit d'une action que nous réalisons naturellement, sans effort ni intention. (Si vous avez des problèmes respiratoires ou devenez anxieux chaque fois que vous tentez de suivre votre souffle, dirigez plutôt l'attention sur les bruits ambiants, comme indiqué dans la méditation sur les sons explicitée ci-dessous, ou utilisez la technique du scan corporel présentée en Semaine 2.)

Des pensées et des sentiments surgiront immanquablement, réclamant votre attention. Chaque fois, vous les accueillerez de la même manière : en remarquant et laissant passer ces distractions, avant de revenir à la conscience de l'air qui entre et sort de vos poumons. Respirer, vous apercevoir que quelque chose vous a distrait et recommencer, voilà une pratique simple et réalisable.

Certains des sentiments et des pensées qui vous traverseront seront peut-être attirants et agréables ; d'autres vous mettront au contraire mal à l'aise ou vous paraîtront terriblement tristes. Entraînez-vous à les laisser tous passer sans prendre le temps de les évaluer. Cette pratique est le premier pas, et un pas crucial, pour apprendre à se centrer et devenir plus présent à soi.

Très rapidement, vous percevrez le pouvoir de guérison contenu dans cette capacité à recommencer, quels que soient l'endroit où votre attention s'est égarée et la durée de cet égarement. Toute personne qui médite, débutante ou expérimentée, se trouve à un moment ou un autre détournée de sa concentration par des pensées ou des émotions ; il est impossible d'y échapper. Mais quand vous aurez constaté que le recours à la méditation est toujours à votre portée, vous cesserez de juger votre distraction avec sévérité. Vous apprendrez à intégrer cette pratique dans votre vie quotidienne et à la mettre en œuvre chaque fois que vous commettrez une erreur ou perdrez de vue vos aspirations, au lieu de vous accabler de reproches stériles.

Autre conséquence positive de la concentration : elle nous aide à garder un sentiment de cohésion intérieure dans les moments de confusion, en nous permettant de rester conscients de l'ensemble de nos émotions et de nos pensées, aussi bien agréables que douloureuses. Nous n'avons plus besoin de nous épuiser à fuir nos pensées déplaisantes ou éprouvantes ni de nous en blâmer. Par ailleurs, en développant notre bienveillance envers nous-mêmes et en nous acceptant mieux, nous devenons capables d'accueillir les autres dans le même esprit d'ouverture.

À mesure que la méditation nous unifie, nous retrouvons en nous un centre solide, une réserve interne de force psychique et émotionnelle à laquelle nous n'avions plus accès. Beaucoup de gens qui méditent pour stabiliser leur concentration évoquent une plus grande autonomie et une capacité accrue à être et à agir pour décrire le sentiment que leur procure leur pratique. À partir du moment où on se sent centré, il devient plus facile de supporter les stimulations excessives, l'incertitude et l'anxiété inhérentes à la société sans se laisser submerger. On se sent plus fort grâce à une vision élargie, mais aussi beaucoup plus claire. Une attention diffuse ressemble à un faisceau lumineux qui se répandrait dans toutes les directions sans rien éclairer vraiment. La concentration réduit ce faisceau épars à un simple point, extrêmement précis, incroyablement brillant, et d'un éclat qui s'intensifie de façon exponentielle.

La perspective d'une transformation personnelle profonde obtenue simplement en s'asseyant et en respirant vous laisse peut-être sceptique. Dans ce cas, vous aurez bientôt l'occasion de la vérifier par vous-même : votre pratique de la méditation va bientôt commencer. Ne cherchez pas à bien faire. Quand votre esprit s'évadera, ce qui se produira inévitablement, ne vous faites pas de souci. Contentez-vous de remarquer ce qui a attiré votre attention, puis laissez filer cette pensée ou ce sentiment et reportez tranquillement votre attention sur votre respiration. Peu importe la profondeur ou la durée de votre égarement, n'en tenez pas compte. Et chaque fois que vous vous retrouverez emprisonné dans des pensées, libérez-vous-en, et recommencez. Vous éprouvez de l'ennui, de la panique ? Recommencez. Vous n'arrivez pas à rester immobile ? Recommencez. Un jour de la semaine, vous ne trouvez pas le temps ou la volonté de méditer ? Recommencez le lendemain.

SUGGESTION

Durant la Semaine 1, essayez de méditer assis vingt minutes par jour, trois jours sur sept. Vous pouvez suivre la méditation basée sur la respiration ou l'une de ses deux variantes proposées dans ce chapitre : la méditation sur les sons et celle sur le lâcher-prise des pensées. Vous pouvez également intégrer à votre pratique quotidienne les mini-sessions présentées page 76.

MÉDITATION SUR LA RESPIRATION
(MÉDITATION DE BASE)

Cette pratique classique vise à approfondir la concentration en nous apprenant à nous focaliser sur l'*ins*-piration et l'*ex*-piration.

Installez-vous confortablement sur un coussin ou une chaise dans la posture détaillée pages 61 à 62. Gardez le dos droit sans vous cambrer ni vous crisper. (Si vous ne pouvez pas rester en position assise, allongez-vous sur le dos sur un tapis de yoga ou sur une couverture pliée en deux, les bras le long du corps.)

Ne vous sentez pas gêné comme si vous vous apprêtiez à vous livrer à quelque pratique spéciale ou étrange. Contentez-vous d'être détendu. Si vous vous sentez bien les yeux fermés, c'est parfait. Autrement, posez le regard sur un point situé à quelques mètres de vous, sans tension. Essayez de trouver un état de relaxation vigilante.

Prenez trois ou quatre respirations profondes en percevant l'air qui pénètre dans vos narines, emplit votre poitrine et votre abdomen, et ressort. Puis laissez votre souffle recouvrir son rythme naturel, sans le forcer ni le contrôler. Percevez simplement votre respiration telle qu'elle est, sans essayer de la transformer. Vous respirez, d'une façon ou d'une autre. Tout ce que vous avez à faire, c'est d'en prendre conscience.

Repérez la région où le souffle vous semble le plus perceptible. Il s'agit peut-être des narines, de la poitrine, de l'abdomen. Puis, aussi délicatement qu'un papillon se pose sur une fleur, concentrez votre attention sur cette zone.

Mettez-vous à l'écoute de vos sensations à cet endroit précis. Si vous vous focalisez sur les narines, vous pourrez percevoir des picotements, des vibrations, des pulsations, ou encore une différence de température entre le moment où l'air pénètre dans votre nez et celui où il en ressort, un peu plus chaud. Si vous vous polarisez sur l'abdomen, vous noterez peut-être un mouvement, une pression, un étirement, un relâchement. Vous n'avez pas besoin de mettre des mots sur ces sensations, contentez-vous de les éprouver.

Placez l'attention sur votre respiration naturelle, inspiration puis expiration. Inutile de rendre votre souffle plus profond, plus long ou différent de ce qu'il est. Prenez-en juste conscience à chaque inspiration et chaque expiration.

À ESSAYER
Lire d'abord, pratiquer ensuite

Vous vous demandez peut-être : « Dois-je suivre les indications à la lettre, effectuer chaque action telle qu'elle est présentée ? Comment faire quand j'ai les yeux fermés ? Dois-je les rouvrir pour jeter un coup d'œil aux instructions ? »

Bonnes questions. Je vous suggère de lire deux fois, et en entier, les instructions données avant d'entreprendre chaque exercice, afin de les assimiler et de savoir à quoi vous attendre.

Et si vous vous sentez désorienté, rappelez-vous cette simple règle de base : respirez naturellement en vous concentrant sur les sensations de chaque inspiration et de chaque expiration. Si une pensée ou un sentiment vous traverse, prenez-en note, puis retournez doucement à votre respiration.

Durant cette session de méditation, vous pouvez vous apercevoir que votre respiration ne suit pas toujours le même rythme. Si c'est le cas, ne cherchez pas à la modifier. Parfois, les gens éprouvent un certain malaise, presque de la panique, à s'observer respirer. Ils se mettent à inspirer un peu trop fort ou à retenir l'air dans leurs poumons sans s'en rendre compte. Si cela vous arrive, respirez juste un peu plus doucement. Vous pouvez soutenir votre concentration en vous répétant silencieusement « *ins*pir » à chaque inspiration et « *ex*pir » à chaque expiration, ou encore « entre… sort ». Mais veillez à le faire très paisiblement, de manière à ne pas détourner votre attention des sensations liées au souffle.

De multiples choses viendront vous distraire : pensées, images, émotions, douleurs physiques, chagrins, projets. Restez attentif à votre respiration, et laissez-les passer. Ne cherchez pas à les chasser, à vous y attacher ou à les analyser. Contentez-vous de respirer. Garder son attention fixée sur le souffle au moment où surgissent des pensées et des images, c'est comme identifier un ami dans une foule : vous n'avez pas à pousser les autres ou à leur demander de partir pour vous approcher de lui, il suffit de diriger votre attention, votre enthousiasme et votre intérêt dans sa direction. « Tiens, c'est mon ami parmi tous ces gens. Tiens, c'est mon souffle parmi toutes ces pensées, ces émotions et ces sensations. »

Si ce qui vous distrait (sensation physique, émotion, souvenir, projet, rêverie agréable, liste de tâches urgentes…) est assez puissant pour vous détourner du ressenti de votre respiration, ou si vous vous rendez compte que vous vous êtes assoupi, ne vous inquiétez pas. Voyez si vous pouvez lâcher la distraction en question et reporter votre attention sur le souffle.

C'est la seule chose à faire quand quelque chose vient détourner votre attention. Il suffit d'en avoir conscience sans rien y ajouter. Sans y attacher de jugement (« Je me suis endormi ! Quel idiot ! »), d'interprétation (« Je ne suis vraiment pas doué pour la méditation »), d'évaluation (« Je suis sûr que tous ceux qui font cet exercice restent concentrés plus longtemps que moi ! » ; « J'ai vraiment des pensées nulles ! »), ni de projections dans le futur (« Que se passera-t-il si je n'arrive pas à me reconcentrer tant cette pensée me contrarie ? Je resterai dans cet état toute ma vie ! Je n'arriverai jamais à méditer ! »).

Il est inutile de vous énerver contre vous-même parce qu'une pensée vous vient, ni d'en juger le contenu : accueillez-la, c'est tout. Ne brodez pas sur votre pensée ou votre émotion et ne l'évaluez pas. Ne luttez pas contre elle, mais ne succombez pas non plus à son attrait en la laissant vous emporter. Dès l'instant où vous remarquez que votre esprit n'est plus fixé sur la respiration, prenez note de ce qui *est* là. Puis, quoi que ce soit, lâchez-le. Focalisez-vous de nouveau sur vos narines, votre ventre ou n'importe quelle zone où vous percevez votre respiration.

Le moment où vous prenez conscience de ce qui vous a distrait est magique. Il vous offre l'occasion de modifier votre comportement habituel : au lieu de vous reprocher votre faiblesse, votre manque de discipline ou de tomber dans la frustration, lâchez prise et recommencez. Plutôt que de vous adresser des reproches, vous devriez vous remercier d'avoir pris conscience de votre inattention et revenir à votre souffle.

Chaque fois que vous vous surprenez en train de spéculer sur l'avenir, de ressasser le passé ou de sombrer dans l'autocritique, redirigez votre attention sur les sensations liées à la respiration. (Pour vous aider, vous pouvez accompagner mentalement le va-et-vient de votre souffle par les mots « inspir » et « expir », comme suggéré plus haut.) Notre pratique consiste à lâcher délicatement tout ce qui se présente pour revenir au souffle. Notez le terme « délicatement ». C'est *délicatement* que nous accueillons et laissons aller ce qui nous distrait, et nous nous pardonnons *avec délicatesse* de nous être égarés. Et nous reportons une fois encore notre attention sur le souffle avec une grande bienveillance envers nous-mêmes.

À ESSAYER
Bercer le souffle

Parfois, lors de ma pratique, j'imagine tenir entre mes mains quelque chose de très fragile et précieux, par exemple un objet en cristal. Et que je le serre trop fort, le faisant voler en éclats. Ou que je me montre trop paresseuse ou négligente, et que ma main s'ouvre, le laissant tomber et se casser. Alors, je le ramasse et je le berce, tout simplement. Je reste en contact avec lui, je le caresse. C'est ainsi que nous pouvons nous comporter face à chaque respiration : sans chercher à nous emparer trop fermement du souffle, mais en n'étant pas non plus indolents ; en ne nous montrant ni trop énergiques ni trop détendus. Nous accueillons et chérissons cet instant et ce souffle, respiration après respiration.

Si vous devez lâcher ce qui vous a distrait et recommencer des milliers de fois, n'en faites pas un problème. Il ne s'agit pas d'un frein à la pratique, mais de la pratique. De la vie même : recommencer, une respiration après l'autre.

Quand vous sentez que vous vous assoupissez, redressez-vous, ouvrez les yeux si vous les aviez fermés, prenez plusieurs inspirations profondes, et revenez à votre respiration naturelle. Il est inutile de contrôler votre souffle ou de chercher à le modifier ; il suffit de l'accompagner. Percevez le début de l'inspiration et sa fin, le début de l'expiration et sa fin. Sentez la petite pause qui se fait naturellement entre chaque inspiration et chaque expiration.

Continuez à suivre votre souffle, et à recommencer chaque fois que vous avez été distrait, jusqu'à ce que vous arriviez à la fin du temps imparti à votre session de méditation. Quand vous vous sentez prêt, ouvrez les yeux ou relevez-les.

Que vous soyez chez vous, au travail, avec des amis ou des inconnus, essayez de mettre en pratique dans l'activité qui suivra cette séance de méditation certaines des qualités de concentration que vous venez d'expérimenter : présence, observation tranquille, bonne volonté.

MÉDITATION SUR LES SONS

Asseyez-vous confortablement ou allongez-vous, les yeux fermés ou ouverts (dans ce dernier cas, posez le regard sur un point invisible devant vous). Concentrez votre attention sur la sensation du souffle, là où elle est le plus intense, le plus facile à ressentir pour vous, tout en conservant une respiration naturelle. Suivez-le quelques instants, puis lâchez-le pour vous focaliser sur les sons environnants.

Certains bruits sont proches, d'autres lointains ; certains bienvenus (celui de carillons à vent, par exemple, ou de bribes de musique), d'autres déplaisants (alarme de voiture, perceuse, altercation dans la rue). Dans tous les cas, il ne s'agit que de bruits qui vont et viennent. Qu'ils soient apaisants ou stridents, prenez-en note, puis lâchez-les.

Méditer sur les sons n'implique aucune action particulière sinon de les écouter sans effort. Vous n'avez pas à y réagir (sauf, bien sûr, s'il s'agit d'une alarme d'incendie ou de votre enfant qui pleure), pas besoin de les juger, de les manipuler, ni de les arrêter. Vous n'avez même pas à en comprendre le sens ou à les identifier. Essayez de vous rendre compte s'il vous est possible d'écouter simplement un bruit sans le nommer ni l'interpréter. Remarquez ses changements d'intensité ou de volume tandis qu'il vous traverse, sans interférence, sans jugement – rien d'autre que la constatation : « apparaît, disparaît ; apparaît, disparaît ».

Si vous vous rendez compte qu'un son vous déplaît ou que vous attendez qu'il s'arrête, prenez-en note et voyez s'il vous est possible de rester en contact avec lui dans la patience et l'ouverture. Ne vous crispez pas physiquement. Si le bruit devient trop déplaisant, reportez votre attention sur votre respiration pendant quelques minutes. Ne forcez pas l'écoute, tenez-vous juste prêt à accueillir le son suivant.

Si à l'inverse vous vous apercevez qu'un son vous plaît particulièrement, inspirez profondément et

CLORE SA PRATIQUE
Ouvrir son cœur

Voici une suggestion pour clore n'importe quelle méditation présentée dans cet ouvrage :

Avant de terminer la session, prenez conscience du plaisir que vous procure le fait de prendre soin de vous, d'être attentif, d'oser, et d'être toujours prêt à recommencer. Ce sentiment de satisfaction n'a rien de futile ni de vaniteux ; il traduit simplement la joie de faire de bons choix pour soi.

Et parce que le travail intérieur que l'on effectue n'est jamais uniquement pour soi, mettez un point d'honneur à offrir à ceux qui vous ont aidé l'énergie positive générée par la méditation. Il pourra s'agir de personnes qui se sont occupées de votre maison ou de votre famille pour vous dégager du temps ou qui ont encouragé votre pratique. Offrez-leur l'énergie, la force positive, le sens du possible que vous avez découvert, de manière qu'eux aussi bénéficient de votre travail intérieur. « Puisse ma pratique œuvrer à votre bien-être. »

Peut-être connaissez-vous des personnes qui souffrent. À elles aussi, vous pouvez offrir le fruit de votre pratique : prise de conscience, sensibilité, amour et bienveillance, en vue de les aider. Idem pour votre famille et votre entourage plus large. Chaque pas que nous effectuons vers la paix et la compréhension a des répercussions sur ceux qui nous entourent.

Au terme de votre méditation, répétez-vous : « Puissent les actes que j'entreprends pour atteindre ce qui est bon, pour me comprendre, pour me sentir plus en paix bénéficier à tous les êtres dans le monde entier. »

Lorsque vous vous sentez prêt, ouvrez les yeux.

détendez-vous. Contentez-vous de remarquer qu'un son est apparu, que vous y réagissez d'une certaine façon, et qu'il existe un petit décalage entre ces deux événements. Restez ouvert au son suivant, en acceptant que les bruits, quels qu'ils soient, vont et viennent constamment sans que nous puissions les contrôler. Dès qu'un son vous rend nerveux, inspirez profondément et détendez-vous à l'aide de la technique qui fonctionne le mieux pour vous. Soit diriger votre souffle vers une région du corps particulièrement tendue, soit revenir à l'ancrage de la respiration en laissant son flux et son reflux réveiller le souvenir d'une relaxation profonde et facile d'accès. Aussitôt que des pensées surgissent, prenez-en note et lâchez-les. Nul besoin de développer : « Tiens, un bus. Je me demande quel numéro c'est. J'aimerais bien qu'ils modifient le trajet, ce serait plus pratique. Le mieux, ce serait de ne plus avoir à prendre le bus. J'en ai marre que ma voiture soit chez le garagiste… ». Tout ce que vous avez à faire, c'est écouter. Être présent.

Quand vous vous sentez prêt, ouvrez les yeux.

Une fois que vous aurez repris le cours de vos activités journalières, n'oubliez pas la grande leçon de la méditation : il est possible d'être plus présent à chacune de nos expériences quotidiennes.

MÉDITATION SUR LES PENSÉES

Interrogé sur la manière dont il s'y prendrait pour sculpter un éléphant, Michel-Ange aurait répondu : « Je prendrais un gros bloc de pierre et j'enlèverais tout ce qui n'est pas l'éléphant. » En affinant son attention lors d'une session de méditation, on apprend à identifier

« ce qui n'est pas l'éléphant » : il s'agit de lâcher encore et encore le superflu, tout ce qui détourne l'attention de son but. Aussitôt qu'une pensée se présente pendant la pratique de la concentration (souvenir, projet, évaluation par comparaison, rêverie agréable), on la laisse filer. Si de la colère, un jugement sur soi, ou une excitation à l'idée de la sortie de ce soir surgit, on se contente de le lâcher et de revenir tranquillement à l'objet de sa méditation. Non par peur ou refus d'accepter une pensée ou une émotion comme partie intégrante de notre expérience, mais par conscience de son inutilité dans ce contexte précis. Pour l'instant, nous développons notre concentration en portant notre attention sur le souffle. Pour cette méditation, vous pouvez vous asseoir confortablement ou vous allonger. Fermez les yeux, ou, si vous les gardez ouverts, posez le regard sur un point devant vous. Puis vous fixez votre attention sur les sensations de l'inspiration et de l'expiration au niveau des narines, de la poitrine, ou de l'abdomen dans le cadre d'une respiration naturelle en notant mentalement sans insister « inspir », puis « expir ». Dès qu'apparaît une pensée susceptible de vous détourner de votre objet d'observation, considérez-la simplement comme une « non-respiration ». Qu'il s'agisse de la chose la plus merveilleuse ou de la plus terrible au monde, d'un secret intime que vous n'avez jamais confié à personne, durant cette méditation, il n'est rien d'autre qu'une « non-respiration ».

Ne vous jugez pas, ne cherchez pas à retrouver l'origine de cette pensée ni ses possibles conséquences. La seule chose que vous ayez à faire, c'est d'identifier tout ce qui n'est pas souffle. Certaines de vos pensées sont peut-être tendres et attentionnées, d'autres cruelles et blessantes, d'autres encore ennuyeuses et banales. Aucune importance. Ce qui compte, c'est qu'elles ne sont pas des respirations. Regardez-les, accueillez-les, laissez-les passer avec douceur, et reportez votre attention sur la sensation du souffle.

Nous avons l'habitude, soit de nous accrocher à nos pensées et d'échafauder autour des scénarios complexes, soit de les combattre et de les repousser. Le but de cette méditation est d'essayer au contraire d'observer les pensées sans nous y attacher, en restant calmes et centrés, nous bornant à remarquer : « Ce n'est pas la respiration », puis à les laisser suivre paisiblement leur chemin en reportant notre attention sur ce qui *est* la respiration.

Lorsque vous vous sentez prêt, ouvrez les yeux et détendez-vous.

MINI-SESSIONS QUOTIDIENNES

Les activités quotidiennes sont l'occasion d'expérimenter de petites bouffées de méditation, des moments où se détourner des distractions ou du stress pour recouvrer calme et concentration.

Partout où nous pouvons respirer, nous pouvons méditer : en faisant la queue à la préfecture, en regardant nos enfants jouer au foot, avant une réunion importante... Plusieurs fois par jour, où que vous soyez, prenez quelques instants pour percevoir votre souffle au niveau des narines, de la poitrine ou de l'abdomen, selon votre choix. Inutile de fermer les yeux ou de prendre une posture particulière. Il suffit de quelques minutes

– trois respirations, guère plus – pour vous centrer et entrer plus profondément en contact avec vous-même.

Certaines personnes ont recours à des rituels ou à des signaux particuliers pour introduire de tels moments de pratique dans leur quotidien : ils respirent trois fois en pleine conscience avant de répondre à un mail, s'arrêtent pour suivre leur souffle pendant que leur déjeuner chauffe dans le micro-ondes, attendent trois sonneries avant de décrocher leur téléphone, profitant de ce bref laps de temps pour se recentrer grâce à une respiration consciente. On m'a même parlé d'un cadre qui avait demandé à son assistante de lui bloquer une minute sur son agenda avant chaque rendez-vous pour une pause respiration express. Non seulement ces moments furtifs de méditation nous aident à retrouver l'état de calme généré par de plus longues sessions de pratique, mais ils nous rappellent également que le souffle est une ressource toujours accessible pour nous centrer et revenir à l'essentiel.

OBSERVATIONS SUR LA SEMAINE 1

Apprendre à percevoir et à reporter sans cesse son attention sur sa respiration n'a rien de particulièrement attrayant ni spectaculaire. Pourtant, cette pratique peut faire toute la différence durant les périodes où vous vous dites : « Je dois tout reprendre à zéro. Je ne peux pas rester bloqué là où j'en suis. » C'est une technique merveilleuse à introduire dans votre vie.

Quand j'ai commencé à méditer, je pensais qu'il était impossible d'apprivoiser son esprit et de développer sa concentration sans efforts sérieux et douloureux. Lors de ma première retraite de méditation, j'avais tant de mal à fixer mon attention qu'à un moment, dans une bouffée de frustration, je me suis juré de me cogner la tête contre le mur la prochaine fois que mon esprit s'égarerait.

Par chance, la cloche du déjeuner a sonné avant que j'en sois arrivée là. Dans la file d'attente au réfectoire, j'ai alors entendu la conversation de deux autres participants. L'un demandait à l'autre comment s'était passée sa matinée. Ce dernier, un grand gars mince, lui a répondu avec bonne humeur : « Je n'ai pas vraiment réussi à me concentrer, mais ça ira peut-être mieux cet après-midi. »

Surprise de cette réponse, je me suis retournée pour mieux l'observer. « Pourquoi n'est-il pas aussi agacé que moi ? me suis-je demandé. Il ne prend pas ça au sérieux ? » C'était ma première rencontre avec Joseph Goldstein.

Cinq ans plus tard, Joseph et moi, en compagnie de Jack Kornfield et d'autres amis passionnés, fondions l'Insight Meditation Society. Entre-temps, j'avais fini par comprendre ce qui se cachait derrière la remarque enjouée de Joseph. Au fil de l'évolution de ma pratique, j'ai appris que l'espèce de lutte anxieuse à laquelle je me livrais ne permettait pas de développer ma concentration, loin de là. Rechercher le calme en se crispant intérieurement n'a aucun sens, même si c'est souvent ce que nous faisons. Me battre pour garder l'esprit fixé sur la respiration, par exemple, ne crée pas les conditions les plus favorables pour y parvenir. En revanche, quand l'esprit est détendu, le cœur calme, ouvert et confiant, il devient possible de se concentrer naturellement et sans effort. Mais comment atteindre cet état de relâchement ?

L'attitude de Joseph le jour où je l'ai croisé dans la queue au réfectoire est une bonne réponse à cette question. Son discours révélait une acceptation des hauts et des bas, dans la méditation comme dans la vie. Parfois, méditer est facile, amusant, extatique même. À d'autres moments, cela se révèle agaçant, difficile, douloureux. Dans tous les cas, il importe de rester au plus près de ce qui est là. Faire des efforts n'implique pas forcément de se crisper ou se raidir, mais peut aussi se traduire par une persévérance dénuée de tension.

À ESSAYER
Variez les plaisirs

Expérimentez les variations proposées autour de la méditation de base. Pour cela, remplacez parfois cette dernière par l'une d'entre elles lors de votre pratique formelle, ou introduisez certains éléments qui vous semblent utiles dans vos sessions quotidiennes. Par exemple, vous pouvez décider de fixer votre attention sur les sons plutôt que sur la respiration si vous vous sentez tendu ou anxieux, ou encore d'étiqueter mentalement « non-respiration » tout ce qui vous distrait. Choisissez ce qui fonctionne le mieux pour vous.

Ces montagnes russes dans la pratique sont inévitables et ne doivent pas être considérées comme des indices de progrès ou de régression. On ne peut pas pénétrer de force dans la pleine conscience ; la bienveillance et l'acceptation sont beaucoup plus efficaces. Accueillir puis laisser filer les pensées et les sentiments qui nous distraient pendant une méditation, sans les condamner, n'est pas signe de complaisance ou de manque de discernement. Cette attitude permet au contraire de canaliser l'énergie employée jusqu'alors à nous juger et de l'utiliser pour choisir en toute conscience le genre de relation que nous souhaitons établir avec ce qui surgit dans notre esprit.

Au lieu de vous décourager face à votre envie de dormir, votre anxiété ou votre incapacité à rester attentif alors que vous vous étiez promis d'être paisible et concentré, rappelez-vous qu'une méditation « réussie » ne dépend pas de ce qui se passe, mais de la manière d'y réagir. Vous observez calmement votre somnolence, votre anxiété ou votre distraction ? Réussi. Vous essayez de ne plus vous blâmer de ressentir ces états ? Réussi.

Howard Thurman, théologien et chef de file du mouvement pour les droits civiques, conseillait de « poser sur le monde un regard apaisé ». Recommandation curieuse seulement en apparence. Trop souvent, nous ressemblons à ces personnages de dessins animés dont les yeux sortent de leurs orbites. « J'ai vu un truc que je veux ! Donne-le-moi ! » *Bing !* « Attends, j'ai vu quelque chose d'encore mieux ; je veux ça à la place ! » *Bing !* On saisit l'objet, la personne, la pulsion, et on s'y accroche pour l'empêcher de changer ou de partir. Et alors, *bing !* on désire autre chose, parce qu'on ne prête pas vraiment attention à ce qu'on agrippe avec tant de force.

Ce manque d'attention nous entraîne dans un cycle infini de désirs. Nous passons d'une chose à une autre car nous ne sommes pas réellement conscients de ce que nous possédons déjà. Ainsi naît un besoin de plus en plus grand de stimulations. Dès lors que nous prenons profondément conscience de cet état de fait, nous n'éprouvons plus la nécessité de courir après une nouvelle sensation forte, un nouveau goût ou un nouveau son (sans voir, goûter ou entendre ce qui se trouve déjà là, juste devant nous). Plus besoin non plus de suspendre notre joie dans l'attente d'un objet plus excitant ou plus agréable, ni de penser : « Ce n'est pas mal, mais ce serait mieux si... » Ce n'est qu'en étant attentif à chaque instant que l'on perçoit ce qu'il y a de satisfaisant dans l'existence. L'enjeu de la pratique, c'est de nous rendre sensibles à ce que nous expérimentons au moment où nous le vivons.

À traverser la vie sans conscience, insensibles aux petits plaisirs, nous risquons de développer des comportements addictifs, de rechercher toujours plus de sensations et de stimulations – agréables ou douloureuses – pour nous sentir exister.

Dans son poème « Escapist – Never », Robert Frost écrit :

> *Sa vie est l'éternelle quête d'une quête.*
> *Le futur façonne son présent.*
> *Tout n'est qu'une chaîne de désirs sans fin.*

Lorsque notre vie ressemble à une interminable succession de désirs et de manques, que rien ne nous satisfait, le premier maillon de la chaîne est souvent notre incapacité à être pleinement présent. Voilà comment les choses se passent : imaginez que vous mangez une pomme. Si vous n'accordez pas d'attention particulière à son aspect, sa texture, son parfum et son goût, il y a peu de chances que l'expérience vous comble. Vous éprouvez alors un léger dépit et en concluez que la pomme est un fruit banal, sans intérêt. Il est facile d'oublier que la qualité de notre attention joue un rôle majeur dans notre insatisfaction.

Peut-être vous dites-vous : « Si seulement je pouvais avoir une banane, je serais content ! » Mais si vous trouvez une banane et l'avalez de la même façon, vous vous retrouvez dans un état d'esprit similaire. Or, au lieu de vous rendre compte que vous n'étiez pas attentif à votre expérience de dégustation, vous décrétez : « Ma vie est trop ordinaire. Qui pourrait se contenter de pommes et de bananes ? Ce dont j'ai besoin, c'est d'exotisme. Il me faut une mangue. Alors, je serai heureux. »

Avec quelques efforts, vous finissez par mettre la main sur votre mangue. Les premières bouchées sont fabuleuses – une sensation nouvelle. C'est délicieux, exactement ce que vous recherchiez. Bientôt, pourtant, vous terminez ce fruit exotique de la même façon distraite et préoccupée que la pomme et la banane si communes. Et de nouveau, vous ressentez de l'insatisfaction et un manque. La pomme, la banane ou la mangue n'y sont pour rien. C'est votre déficit d'attention qui vous pousse à désirer sans cesse autre chose. Voilà comment se forge une « chaîne de désirs sans fin ». La concentration est l'outil qui brise la chaîne.

Le fait d'aiguiser celle-ci aide à poser un regard apaisé sur le monde. Il n'est plus nécessaire de partir en quête d'un quelconque fruit exotique ou défendu et de s'en emparer. Acquérir la concentration procure calme et tranquillité d'esprit. Grâce à cet apaisement, on se sent de mieux en mieux dans son corps et son esprit. De mieux en mieux avec la vie comme elle vient.

Chaque fois que vous méditez, notez dans un carnet la durée et l'atmosphère dominante de votre session – juste quelques remarques comme « somnolent », « impossible de m'arrêter de faire des plans pour l'avenir », « clair et plein d'énergie », ou encore « aurais préféré aller skier ». Puis, avant d'aller dormir, ajoutez une ou deux phrases résumant votre état d'esprit général de la journée : « impatient », « déterminé », « ouvert », « calme et confiant », « anxieux ». En fin de semaine, relisez votre journal afin de voir s'il existe un lien entre le climat de votre séance et la journée qui a suivi.

FAQ

(Foire aux questions)

Q J'ai beaucoup de mal à me concentrer sur ma respiration. Y a-t-il quelque chose que je n'aie pas compris ?

R Je me sers souvent de l'image du brocoli et de la fourchette pour expliquer la technique consistant à focaliser son attention sur la respiration. L'objectif est que la fourchette pénètre juste assez profondément dans la fleur de brocoli pour vous permettre de la porter à vos lèvres. Pour y parvenir, il faut deux choses. La première est l'intention : si vous promenez votre fourchette en l'air sans viser la cible, vous ne mangerez pas grand-chose. La seconde est une modulation soigneuse de l'énergie. Si vous n'y mettez pas assez de force, la fourchette ne se plantera pas dans le brocoli ; si vous en mettez trop, elle le traversera, faisant voler dans les airs brocoli, assiette et tout le reste. Dans un cas comme dans l'autre, vous resterez sur votre faim. C'est pourquoi, dans la méditation, nous dirigeons notre attention uniquement sur l'inspiration ou l'expiration présente, afin de nous relier subtilement.

À ESSAYER
Compter ses respirations

Petite astuce pratique : si répéter mentalement « inspir... expir » ou « entre... sort » chaque fois que vous inspirez et expirez ne vous aide pas, essayez de compter vos respirations. À l'inspiration, notez mentalement « inspir », et à l'expiration, « un ». Ce qui donnera comme rythme de respiration : « inspir », « un » ; « inspir », « deux » ; « inspir », « trois », et ainsi de suite. Comptez de manière très légère, à l'arrière-plan de votre esprit, en gardant votre attention fixée sur la sensation du souffle. Arrivé à dix, vous pouvez recommencer depuis un. Comme vous êtes humain, vous vous retrouverez sûrement perdu dans une rêverie ou emprisonné dans un enchaînement de pensées avant de parvenir à deux ou trois. Dès que vous vous rendrez compte que votre esprit s'est égaré, revenez à un, et repartez de là à l'inspiration suivante. Le fait de recommencer ne signifie pas que vous avez échoué. Il s'agit d'une simple technique destinée à vous aider à approfondir votre concentration.

Durant les retraites de méditation qu'il dirigeait, l'un de mes instructeurs avait pour habitude de demander aux participants : « Au bout de combien de respirations votre esprit se met-il à divaguer ? » Question épineuse, à laquelle tout le monde aurait aimé pouvoir répondre : « Je reste concentré sur ma respiration pendant quarante-cinq minutes ou une heure avant de me perdre dans mes pensées. » Sauf qu'en réalité nous ne parvenons à rester fixés sur le souffle que durant deux, trois, peut-être quatre respirations avant que notre attention ne soit détournée par un souvenir, une anticipation, un jugement, une analyse ou une rêverie. D'où cette question : que se passe-t-il quand vous vous apercevez que votre esprit s'est égaré ? Êtes-vous capable de laisser tranquillement filer ce qui vous préoccupait et de reporter votre attention sur l'instant présent, la sensation du souffle ? La vraie solution pour rester en contact avec sa respiration, c'est d'être capable de recommencer.

Q Quand j'essaie de méditer, je deviens tellement conscient de ma respiration que je suis quasiment en hyperventilation. Comment faire pour respirer normalement ?

R Au début de ma pratique, je me suis rendu compte qu'avant chaque respiration, j'anticipais déjà la suivante. Mon esprit avait l'habitude de se projeter en avant, et comme je me méfiais et m'inquiétais beaucoup de ce que la vie me réservait, j'exprimais cette hypervigilance dans ma pratique méditative. J'étais tellement anxieuse de bien faire que je n'arrivais pas à me concentrer sur mon souffle. Ce dont j'avais besoin, c'était de m'installer paisiblement dans mon esprit et de laisser la respiration venir.

Parfois, cependant, nous nous installons un peu trop confortablement et sommes trop détendus. C'est alors que nous nous assoupissons, nous ennuyons ou nous laissons distraire. Nous perdons presque tout intérêt pour notre respiration. Dans ces moments-là, il convient de réveiller notre énergie : de faire plus que simplement nous intéresser au processus de la respiration. Nous devons nous focaliser de nouveau dessus, et nous y reconnecter. Une façon d'y parvenir consiste à se lancer un petit défi : essayer de percevoir la fin d'une respiration et le début de la suivante.

Se laisser perturber et se reconcentrer fait partie de la pratique. L'astuce, c'est de toujours recommencer, de comprendre que rien n'est gâché parce que nous avons momentanément oublié notre souffle.

Q Je suis totalement incapable d'arrêter de penser quand je médite. La méditation ne vise-t-elle pas à arrêter les pensées ?

R La méditation n'a pas pour dessein de supprimer les pensées. De toute évidence, il existe de très nombreux moments dans la vie où il est nécessaire, voire vital, de penser. Ce que nous espérons apprendre, c'est la différence entre penser et *se perdre* dans ses pensées. Nous ne voulons pas éliminer nos pensées, mais changer notre façon de nous y relier : être plus présents et conscients au moment où elles sont là. Si vous avez conscience de vos pensées et voyez clairement ce qui se passe en vous, alors vous pouvez choisir d'agir ou non sur elles, et de quelle façon.

En outre, il est tout à fait possible d'être traversé par les pensées les plus viles et les plus terribles tout en ayant une bonne session de pratique. Tout dépend de l'attitude que vous adoptez face à ces pensées : l'espace que vous leur offrez pour exister, la proximité avec laquelle vous les observez, et l'indulgence dont vous faites preuve envers vous-même. Comme plusieurs enseignants de pleine conscience l'ont répété, « les pensées ne sont pas des faits ». Ni des actions, d'ailleurs. Elles sont juste des pensées, des éléments de notre paysage mental toujours en mouvement. Celles qui surgissent dans votre esprit ressemblent aux nuages qui traversent le ciel sans en changer la nature. Être en contact avec ses pensées signifie les regarder passer comme on regarde passer les nuages. C'est là tout l'enjeu de notre travail, et une véritable transformation de notre façon d'être habituelle. Dans son ouvrage *Mindsight*, le Dr Dan Siegel, codirecteur du UCLA's Mindful Awareness Research Center (Centre de recherche sur la pleine conscience de l'université de Californie à Los Angeles), se sert d'une autre image tout aussi évocatrice pour illustrer ce lien subtil avec le contenu de notre mental : « L'esprit ressemble à l'océan [...] peu importe l'aspect de sa surface, qu'elle soit étale ou agitée... dans les profondeurs océaniques, tout est calme et serein. Du fond de la mer, vous pouvez regarder vers la surface et remarquer ce qui se passe là-haut, tout comme des profondeurs de votre esprit vous pouvez regarder vers [...] l'ensemble de ses activités : pensées, émotions, sensations et souvenirs. »

Ces deux images du ciel et de l'océan décrivent une même réalité : pensées et émotions ne font que passer dans notre esprit et se transforment sans cesse. Elles ne résument pas notre être, mais uniquement ce que nous pensons et ressentons sur l'instant.

Q Comment faire quand, malgré tous mes efforts pour vider mon esprit, je n'arrive pas à me débarrasser de la pensée obsédante d'une personne donnée ?

R Tout d'abord, il est important de ne pas vous reprocher cette pensée. L'un de mes premiers instructeurs en Inde m'a appris une chose fondamentale. J'étais allée le voir, bouleversée, parce que j'avais des pensées jalouses durant mes méditations. « Pourquoi es-tu aussi contrariée par la pensée qui surgit dans ton esprit ? m'a-t-il demandé. Tu l'as invitée à y entrer ? » Sa réponse m'a ouvert les yeux. Est-ce que nous nous disons : « À cinq heures, je me détesterai et serai pleine de regret ? » Bien sûr que non. Contentez-vous de remarquer brièvement ces pensées et les sensations qui les accompagnent, puis passez à autre chose en ramenant votre attention sur la respiration. Le but n'est pas de vous condamner pour le contenu de vos pensées mais de les reconnaître, de les observer, de les lâcher, et de vous remettre à suivre votre souffle.

Q J'ai bien démarré, vraiment, ça marchait plutôt bien, puis on dirait que je suis revenue à la case départ. Je suis totalement incapable de me concentrer. Est-ce que je progresserai un jour ?

R Mes débuts en méditation ont été extrêmement douloureux, aussi bien sur le plan physique qu'émotionnel. Puis j'ai traversé une phase durant laquelle je vivais des moments de pur ravissement. Je m'asseyais, me concentrais sur ma respiration, et j'avais l'impression de flotter dans les airs, l'esprit serein. « Oh, ce serait fantastique, si je passais le restant de mes jours dans cet état délicieux », me disais-je dans ces moments-là.

Mais alors, mon genou ou mon cou se mettait à me faire souffrir, je me sentais agitée ou j'avais envie de dormir, et je me le reprochais : « Qu'as-tu fait pour que cet état fabuleux et extraordinaire disparaisse ? »

En réalité, cet état ne s'était pas évanoui parce que j'avais mal fait quelque chose ; mais simplement parce que *tout* s'évanouit. Sensations et émotions sont en perpétuel changement. Toute

89

expérience, si intense soit-elle, est éphémère. Tout dans la vie est passager. Observer le flux et le reflux des pensées et des émotions nous aide à appréhender cette vérité.

La case départ n'est pas une si mauvaise place. Chaque méditation a son utilité, même celle au cours de laquelle vous avez été souvent distrait ou eu des pensées déplaisantes.

LE BAVARDAGE DE L'ESPRIT

Dans la vie quotidienne, quand nous ne sommes ni attentifs ni pleinement conscients, nous nous laissons généralement emporter par une suite d'associations d'idées et perdons le contact avec l'ici et maintenant. Le même phénomène peut se produire durant une méditation. C'est l'occasion d'observer ce processus à petite échelle.

Par exemple, vous êtes assis en train de suivre votre respiration et vous pensez : « Je me demande ce qu'il y aura au déjeuner. » Ce qui vous mène à une autre pensée : « Je devrais peut-être devenir végétarien, ce serait meilleur pour ma santé et plus en accord avec mes valeurs. » Là, vous êtes ailleurs, et vous poursuivez : « Oui, je vais devenir végétarien. Mais c'est difficile d'arrêter de manger de la viande, à moins de savoir très bien cuisiner. Dès que la séance sera terminée, j'irai à la librairie acheter des livres de cuisine végétarienne. Tiens, j'en profiterai pour prendre un guide du Mexique, parce que j'ai vraiment envie d'aller là-bas pendant les vacances. Mais non… Maintenant que je médite et que je suis végétarien, je vais aller en Inde ! Quelle sera ma première étape ? » Quand vous vous réveillez, vous êtes à Delhi – et vous avez complètement oublié que votre première pensée était : « Qu'est-ce qu'il y aura au déjeuner ? »

Le but de la méditation est de savoir ce que l'on pense au moment où on le pense et ce que l'on ressent au moment où on le ressent, au lieu de se retrouver sur un autre continent en se demandant comment on est arrivé là. Lorsque le flux des souvenirs, des projets ou toute autre pensée semble sur le point de vous submerger, concentrez-vous tranquillement sur la respiration sans chercher à la modifier. Votre esprit commencera à se calmer.

Q Comment faire pour ne pas m'assoupir quand je médite ?

R Ne vous inquiétez pas parce que vous vous endormez. Une partie de la méditation consiste à développer le calme et la tranquillité intérieurs, une autre à augmenter l'énergie, et les deux ne sont pas toujours compatibles. Inévitablement, il y a des moments où le calme s'accroît, et où vous ne générez pas suffisamment d'énergie pour faire contrepoids. Votre somnolence n'est pas un état « mauvais », juste la manifestation d'un déséquilibre.

Il est possible d'aborder l'envie de dormir de plusieurs façons. L'une d'elles consiste à reconnaître qu'il s'agit d'un état impermanent. Il va et vient ; vous finirez bien par en sortir. L'autre implique de l'accepter de bon cœur et de l'observer avec attention. En luttant contre lui comme s'il s'agissait d'un ennemi, vous ne parviendrez qu'à vous sentir encore plus mal, et ajouterez à votre fatigue une couche de tension et d'animosité. Essayez de rester en contact avec l'assoupissement et d'en observer les composants. Dans quelle région du corps ressentez-vous de la fatigue ? Vos paupières et vos membres sont-ils lourds ? Est-ce que vous piquez du nez ? Combien de signes d'endormissement pouvez-vous noter ? Votre respiration a-t-elle changé ? Votre posture ? Le fait de vous intéresser à votre envie de dormir et de l'examiner a de grandes chances de vous réveiller.

À ESSAYER
Points de contact

Cet exercice d'ancrage vous sera utile si votre esprit s'est égaré et que vous n'arrivez pas à le ramener au présent en vous concentrant sur la respiration. Prenez conscience des points de contact de votre corps – ces petites zones, de la taille d'une pièce de monnaie, par lesquelles votre dos, vos cuisses, vos genoux et vos fesses sont en contact avec la chaise ou le coussin, votre main avec votre genou, vos lèvres l'une avec l'autre, et si vous êtes assis en lotus, l'endroit où vos chevilles se croisent. Durant le bref instant qui sépare l'inspiration de l'expiration, concentrez-vous sur ces points : visualisez-les, percevez-les. Cette technique vous sortira de la

spirale de vos pensées et vous ramènera au présent :
votre souffle à cet instant précis.

Il existe également des techniques très pragmatiques pour réveiller l'énergie. L'un de mes instructeurs indiens demandait régulièrement à ses étudiants comment se déroulait leur pratique. À cette époque, je m'assoupissais souvent en méditation et me sentais angoissée à l'idée que quelqu'un s'en aperçoive. Or, lorsqu'il interrogea ma voisine, celle-ci lui répondit sans la moindre gêne : « Oh, je n'arrête pas de m'endormir. » Quel soulagement j'éprouvai alors ! D'autant plus que, loin de réagir par une remarque ésotérique, l'instructeur conseilla simplement : « Essaie de te lever, ou asperge-toi le visage d'eau froide » – deux suggestions très terre à terre pour modifier l'équilibre énergétique. Vous pouvez aussi pratiquer les yeux ouverts ou sortir un moment quand vous vous sentez piquer du nez. À mesure que votre pratique s'approfondira, vous trouverez l'équilibre et aurez moins tendance à vous endormir.

Q Chaque fois que je médite, j'ai la bougeotte. Du coup, je m'énerve contre moi-même, ce qui aggrave la situation. Que puis-je faire ?

R L'agitation est le revers de la somnolence, le signe d'un déséquilibre de notre système dominé par l'intranquillité. « Quelqu'un est-il déjà mort d'une agitation excessive ? » m'a un jour demandé un étudiant. « Pas juste de moments d'agitation successifs », ai-je répondu. Et par chance, c'est ainsi que *tout* se produit : par moments successifs.

Si votre nervosité vous empêche de suivre votre respiration, faites-en temporairement l'objet de votre méditation. Avant toute chose, repérez tout ce que vous surajoutez à votre sensation de nervosité : les pensées secondaires du style : « Je ne devrais pas ressentir ça. Ce n'est pas bien. Je ne sais vraiment pas me contrôler. Je suis la seule à ne pas y arriver. Si seulement j'étais plus forte (plus patiente, plus intelligente, plus bienveillante, etc.), je ne serais pas dans cet état. » Lorsqu'on est en mode haute énergie, il devient facile de sombrer dans le jugement. Au lieu de vous adresser des reproches, efforcez-vous d'observer les sensations physiques accompagnant les pensées et les émotions qui surgissent. Remarquez-les et nommez-les. Peut-être votre agitation ressortit-elle à de la frustration, de l'ennui, de la peur ou de l'agacement.

Une autre approche consiste à équilibrer l'énergie en lui offrant assez d'espace pour se déployer. Vous pouvez alors garder les yeux ouverts pendant la session, écouter les sons s'élever et disparaître, ou donner à votre esprit un moyen de se sentir moins confiné, par exemple en appréhendant l'étendue de la pièce plutôt que ses objets, ou en prenant conscience de la totalité de votre corps assis dans l'espace. Cela pourra impliquer de méditer en marchant (voir Semaine 2, page 111), voire de sortir contempler le ciel.

Au fil de ma pratique, j'ai constaté que ma nervosité s'exprimait souvent par l'élaboration d'une multitude de projets. J'ai donc profité de ces moments d'agitation intérieure pour observer mes pensées avec attention – en évitant de les juger –, avant de réfléchir plus profondément à leur contenu une fois la session terminée. C'est ainsi que je me suis rendu compte que mon fonctionnement se fondait sur la croyance que, si je les planifiais avec précision, j'arriverais à contrôler les choses et faire qu'elles se réalisent. Prévoir me donnait un sentiment de sécurité. C'est la prise de conscience de mon attitude au cours de la méditation qui m'a permis d'examiner l'anxiété que dissimulait ce besoin de toujours tout planifier.

En me reliant à ces émotions avec compassion, je me suis peu à peu libérée de l'inquiétude et de la nervosité qui me coupaient du moment présent, que ce soit en méditation ou dans la vie courante. Peut-être découvrirez-vous ce genre d'information précieuse en observant ce qui se cache derrière votre agitation et les émotions qui surgissent au cours de vos séances. Attendez cependant la fin de chaque session pour vous livrer à l'analyse et à la réflexion.

Ces deux états opposés, somnolence et agitation, sont des expériences normales. En début de session, en particulier au moment où vous entrez dans l'immobilité, deux voix peuvent résonner en vous. L'une déclarant : « Il ne se passe rien ici, autant dormir », et l'autre affirmant : « Il ne se

95

passe rien ici, faisons quelque chose. » Résultat, soit vous ne parvenez pas à garder les yeux ouverts, soit vous avez l'impression d'être une pile électrique, l'esprit débordant d'idées et de projets. Ces deux états, qui peuvent s'avérer très instructifs, sont transitoires.

Q Quand je sens une raideur dans les genoux en position assise, dois-je adapter ma posture ou simplement continuer à me concentrer sur la respiration ?

R Tout d'abord, assurez-vous que votre position ne fait pas subir de tensions excessives à votre corps. Si l'inconfort devient trop intrusif, mieux vaut changer de position, peut-être vous asseoir autrement. Il est possible que le manque d'habitude vous empêche de vous sentir à l'aise dans la nouvelle posture que vous adoptez. Parfois, les nouveaux venus dans la méditation prennent brusquement conscience de douleurs ou d'élancements qu'ils n'avaient jamais remarqués dans le rythme effréné de leur vie quotidienne. Des crispations plus profondes sont également susceptibles de faire surface lorsqu'on commence à clarifier son esprit et à se concentrer sur les sensations corporelles. Si vous vous rendez compte que votre combat contre la douleur prend le dessus, mieux vaut modifier votre posture et recommencer comme s'il s'agissait d'une nouvelle session.

POINTS CLÉS

La méditation est un microcosme, un modèle et un miroir. L'exercice auquel nous nous livrons assis est transférable au reste de notre existence. Durant la Semaine 1, nous avons utilisé la concentration comme un outil destiné à stabiliser et à focaliser notre esprit. En suivant notre respiration, nous sommes devenus conscients de nos pensées, de nos émotions et de nos sensations. Nous les avons observées, puis les avons laissées filer, sans y adhérer mais sans les esquiver ni les ignorer (comme nous l'aurions peut-être fait inconsciemment dans la vie de tous les jours), et sans nous reprocher non plus leur existence. Attitude apparemment insignifiante, mais dont les répercussions pourraient être énormes.

Selon une idée courante, une méditation réussie est une méditation où l'on reste attentif à son souffle de la première à la cinquantième respiration. Or, si l'on examine en détail ce processus, voici à quoi ressemble vraiment une pratique réussie :

Apprendre à rester ancré dans l'instant présent. Tandis que nous suivons notre respiration, notre attention s'égare ; nous nous en apercevons et revenons à notre respiration immédiate – pas à l'expiration qui vient de se terminer, ni à l'inspiration qui va suivre. Pendant, disons, quelques secondes, nous sommes tout entier présent dans cette respiration, et nulle part ailleurs, faisant ainsi l'expérience de la sensation que procure l'attention totale au moment présent. Un jour, une étudiante m'a raconté l'anecdote suivante : « J'étais en vacances, en randonnée dans Bryce Canyon, et dès le premier jour j'ai pensé à la difficulté que j'aurais à quitter cet endroit pour retourner au travail. J'étais tellement obsédée par la fin de mon voyage que je ne prêtais même pas attention à ce lieu que j'adore. J'aurais aussi bien pu me trouver au bureau. Puis, il m'a semblé me voir en train de me noyer dans mes pensées. "Pensées", "pensées", me suis-je dit. Et je les ai lâchées. Alors, j'ai décidé de recommencer, d'être vraiment là où j'étais : un bien meilleur endroit que le futur. Avant de pratiquer la méditation, j'aurais simplement descendu les rapides et les chutes perdue dans mes pensées. Bref, j'aurais raté mes vacances en anticipant la déprime du retour. »

Apprendre à lâcher les jugements. Quand j'ai commencé la méditation, j'avais une forte tendance à critiquer ma façon de pratiquer : « Ma respiration n'est pas la bonne, pas assez profonde, pas assez subtile, pas assez nette. » Je me suis alors aperçue que je projetais sur le simple fait de respirer tous les a priori et toutes les croyances que j'entretenais sur mon propre compte. En me focalisant sur la respiration et en lâchant systématiquement ces jugements, j'ai découvert la bienveillance envers moi-même.

Percevoir la présence au fond de soi d'un centre stable et paisible sur lequel on peut s'appuyer quand sa vie bascule. Plus vous parvenez à concentrer votre attention sur l'objet choisi, la respiration, plus l'immobilité et le calme en vous s'approfondissent. À mesure que s'effacent de votre esprit les pensées obsédantes, les inquiétudes inutiles et les récriminations contre vous-même, s'impose peu à peu l'impression d'avoir un refuge. Vous avez un endroit sûr où vous rendre, et ce lieu se situe à l'intérieur de vous.

Une étudiante m'a raconté de quelle façon elle avait eu accès à ce lieu à l'époque où elle avait décidé de ne plus travailler qu'à temps partiel afin de s'occuper de sa mère âgée atteinte de sénilité. Malgré l'aide de son mari et de ses enfants, la tâche lui semblait écrasante et d'une tristesse effroyable. Au bout de plusieurs mois, elle se sentait à bout de forces et désespérée. « Nous n'avions pas les moyens de placer ma mère dans une maison de retraite correcte et, parce qu'elle allait plutôt bien physiquement, j'avais l'impression que tout ça risquait de durer longtemps et je n'imaginais pas comment j'arriverais à supporter pendant plusieurs années une situation aussi dure et épuisante. Je me sentais dans une impasse, au bord de l'hystérie. Alors, je me suis arrêtée et je me suis concentrée sur ma respiration, comme je l'avais appris, avant de reprendre simplement mes activités. Je n'ai plus pensé au temps que ma mère avait encore à vivre, rien qu'à ce que je devais faire juste après. En les abordant l'une après l'autre, les choses devenaient supportables. Et je me suis rappelé que je pouvais me sentir frustrée ou pleine de ressentiment sans être pour autant mauvaise. Avoir conscience qu'il était possible de m'arrêter et de puiser force et calme dans ma respiration m'a permis de me sentir beaucoup mieux. Je savais que je voulais faire ça pour ma mère et que j'en étais capable. »

Éprouver une plus grande bienveillance envers soi-même. Chaque fois que nous nous laissons distraire par une pensée ou une émotion et recommençons sans nous adresser de reproches, nous pratiquons la bienveillance. La méditation nous apprend à faire preuve de douceur envers nous-mêmes, à nous pardonner nos fautes et à continuer.

Du calme véritable naît une nouvelle énergie. La quiétude engendrée par la concentration n'est ni molle ni passive ; elle n'est pas non plus froidement distante de l'expérience, mais vitale et vivante. Elle génère un sentiment de paix empli d'énergie, de vivacité et d'intérêt, et rend ceux qui la pratiquent capables d'être pleinement en prise avec les événements de la vie, d'en avoir une conscience claire et lucide tout en restant détendus. Beaucoup de gens m'ont fait part de leur étonnement en constatant que vingt minutes de pratique quotidienne avaient suffi à amorcer un tel changement chez eux. C'est ainsi qu'un jeune méditant, chef de rayon dans un supermarché, m'a confié : « Après un mois de méditation, j'ai tout simplement senti que j'avais plus d'entrain – même si, au début, j'avais du mal à rester éveillé pendant la pratique. Sans doute parce que je faisais toujours des milliers de choses à la fois, que je me lançais dans des tas de projets sans jamais avoir l'impression de m'intéresser vraiment à l'un d'eux, et que je ne me rendais pas compte à quel point cela me fatiguait. Garder mes émotions à distance, essayer d'enfouir ma colère et ma frustration au lieu de les ressentir devait également représenter un sacré boulot. Peu à peu, j'ai arrêté de le faire, parce que la consigne, pendant les sessions, était d'éviter de se juger. Cela explique sans doute en partie pourquoi je me sens moins épuisé. »

Devenir plus autonome. Parce que cette énergie et ce calme intérieur se développent en nous sans dépendre d'une personne ou d'une situation particulière, nous nous sentons peu à peu merveilleusement indépendants, plein de ressources, et immensément soulagés. Nous découvrons que notre sentiment de plénitude ne dépend pas de l'extérieur mais se trouve à l'intérieur de nous. Ce calme, cette force tranquille, constitue en soi une forme de bonheur.

Semaine 2

CORPS ET PLEINE CONSCIENCE
Déposer ses fardeaux

En aiguisant notre concentration, nous renforçons notre capacité d'attention. La prochaine aptitude que nous allons développer, la pleine conscience, nous permettra, grâce à l'attention, de nous débarrasser des fardeaux que nous portons parfois sans même nous en rendre compte.

La première fois qu'un instructeur de méditation m'a encouragée à pratiquer la pleine conscience – à savoir, accorder une attention résolue et dénuée de jugement à tout ce qui surgit dans l'instant présent –, j'ai fait une découverte. En focalisant mon attention sur chaque respiration, mais aussi sur toutes les pensées, les émotions et les sensations physiques qui surgissaient pendant la séance, j'ai constaté que chacune de mes expériences se composait de deux éléments : l'expérience elle-même et ce que j'y ajoutais par mes façons de réagir habituelles, développées depuis l'enfance.

C'est dans mes genoux que j'ai repéré pour la première fois ce phénomène. Mon instructeur de l'époque encourageait les étudiants à ne pas bouger durant la position assise. Sauf que j'en étais incapable, à cause de mes douleurs dans le dos et les genoux. Plus j'essayais de rester immobile, plus j'éprouvais le besoin de modifier ma position. Finalement, je me suis rendu compte que ces douleurs étaient moins intenses que je ne le croyais, mais que mon agitation, dès le premier signe d'inconfort, émanait d'une pensée précise : « Qu'est-ce que ça va être dans dix minutes ! Dans vingt minutes ! Ce sera insupportable. » Donc, je passais d'une position à une autre poussée non pas par une gêne réelle mais par l'anticipation d'une douleur à venir. J'imaginais les points douloureux se multipliant au fil des minutes, des heures, des années, jusqu'à ce qu'ils m'apparaissent comme un fardeau bien trop lourd à porter. Et alors, je basculais dans le jugement sur moi : « Pourquoi as-tu bougé ? Ce n'était pas nécessaire. Personne d'autre ne bouge, tu es toujours la seule à le faire. »

Ce changement de position n'aurait dû perturber ma concentration que quelques secondes, mais mon anxiété face à ce qui était supposé m'attendre et l'avalanche de reproches que je m'adressais y ajoutaient dix minutes de détresse psychique. Jusqu'à ce que j'apprenne à les identifier, ces ajouts – une tendance à me condamner et à toujours inférer un avenir noir de ce qui n'était qu'une sensation passagère – venaient se placer entre moi et mon expérience directe : « C'est la sensation de la douleur dans le genou telle qu'elle est maintenant, pas dans une heure. Ça me lance, comme une piqûre d'aiguille. À présent, il y a de petits spasmes, séparés par de légères pauses... Puis-je le supporter pour le moment ? Oui. » Seule l'expérience directe nous fournit l'information cruciale dont nous avons besoin pour savoir ce qui est vraiment en train de se passer.

La pleine conscience, ou attention pénétrante, nous permet de voir ce que nous surajoutons à nos expériences durant la méditation mais aussi le reste du temps. Ces adjonctions peuvent prendre la forme de projections dans le futur (« Ma nuque me fait mal, donc je serai dans un état lamentable toute ma vie »), de conclusions fatalistes (« Ça ne sert à rien de demander une augmentation »), de concepts rigides (« Soit tu es avec moi, soit tu es contre moi »), d'habitudes transformées en automatismes (vous vous sentez tendu, donc vous mangez un biscuit), ou d'enchaînements d'idées (vous giflez votre fille, ce qui vous fait penser aux problèmes de votre enfance et conclure que vous êtes comme votre mère). Je ne dis pas qu'il faut se débarrasser des concepts ou empêcher les associations d'idées, ce qui serait d'ailleurs impossible et peu souhaitable. Il est des moments où la pensée associative donne naissance à des œuvres d'art ou à des solutions créatives. Mais ce que nous voulons, c'est avoir une vision claire de ce que nous faisons à l'instant où nous le faisons, être capables de distinguer notre expérience directe des ajouts que nous y greffons et pouvoir décider de nous y intéresser ou non. Peut-être est-ce effectivement inutile de réclamer une augmentation, peut-être ne l'est-ce pas. Vous ne le saurez pas tant que vous n'aurez pas séparé votre présupposé conditionné sur la question (« Je n'obtiens jamais ce que je demande ») de la réalité brute de votre situation professionnelle.

Notre corps, qui a l'avantage d'être toujours là, représente un bon point de départ pour nous familiariser avec le fonctionnement de la pleine conscience. L'exploration minutieuse des sensations physiques constitue l'un des meilleurs procédés pour apprendre à devenir présent à tout ce qui se passe dans l'instant et à distinguer l'expérience directe de nos ajouts personnels. La semaine prochaine, nous appliquerons la pleine conscience aux émotions et aux pensées.

J'ai pu observer un bel exemple de pensée surajoutée au cours d'une retraite que je dirigeais avec mon collègue Joseph Goldstein. Nous prenions le thé quand un étudiant nous a rejoints, dans tous ses états, en annonçant : « Je viens de vivre une expérience terrible. — Que s'est-il passé ? » s'est enquis Joseph. À quoi son interlocuteur a répondu : « Pendant que je méditais, j'ai senti une terrible tension dans la mâchoire, et j'ai tout à coup réalisé à quel point j'étais coincé, que je l'avais toujours été et le serais toujours. — Tu veux dire que tu as senti une tension dans ta mâchoire, a résumé Joseph. — Oui. Et je n'ai jamais réussi à être proche de qui que ce soit. Je suis voué à rester seul jusqu'à la fin de mes jours. — Tu veux dire que tu as senti une tension dans ta mâchoire », a insisté Joseph.

J'ai regardé notre interlocuteur continuer à dévaler sa pente un moment, puis Joseph a fini par demander : « Tu vis une expérience douloureuse. Pourquoi l'aggraver par une image déplorable de toi-même ? »

Je suis sûre que vous n'avez aucun mal à imaginer ce que ressentait l'étudiant à la mâchoire douloureuse. Lequel d'entre nous, à un moment ou à un autre de son existence, ne s'est pas considéré comme le dernier des derniers ou promis à une fin lamentable sous l'effet d'une simple sensation ou d'une pensée passagère ? Le trajet typique de cette pente pourrait s'illustrer ainsi : je me baisse pour lacer mes chaussures et, sans comprendre comment, je me froisse un muscle du dos. « C'est le début de la fin, me dis-je alors. À partir de maintenant, tout va se détraquer. » (Ce à quoi, Joseph répondrait : « Tu veux dire que tu t'es fait mal au dos. »)

PRÉSENTATION DE LA PRATIQUE

Les exercices de pleine conscience de cette semaine – un scan corporel, une méditation en marchant, une méditation axée sur les sensations corporelles, et trois méditations plus courtes enracinées dans l'expérience quotidienne – nous aideront à nous sentir plus à l'aise dans notre corps et en harmonie avec lui. Ils nous permettront de mieux percevoir le caractère changeant de nos expériences et les ajouts que nous y greffons.

Dans la méditation centrée sur les sensations corporelles, nous utiliserons la pleine conscience pour observer nos réflexes d'attachement aux expériences agréables et de répulsion face aux désagréables. Le fait de classer comme plaisant, déplaisant ou neutre tout ce que nous pensons, sentons ou assimilons à l'aide de nos cinq sens est tout à fait normal. Que nous nous délections de la chaleur du soleil sur notre visage, nous fassions insulter, écoutions de la musique, humions les effluves de notre dîner ou ressentions une bouffée de colère, l'expérience, au final, entre dans l'une de ces catégories. Classer chacune d'elles est une caractéristique humaine.

Si l'expérience est agréable, notre conditionnement nous pousse à nous y accrocher pour l'empêcher de s'échapper. Ce qui est pourtant impossible. « Rien n'est permanent, sauf le changement », constatait déjà le philosophe grec Héraclite. Nous aimerions que les choses durent, mais tout dans l'univers connu – les pensées, le temps qu'il fait, les gens, les galaxies – est transitoire.

C'est une réalité, mais une réalité que nous refusons. La pleine conscience nous permet de profiter des expériences agréables sans réagir comme nous le faisons généralement : en nous y agrippant dans l'espoir qu'elles ne se transforment pas. De fait, nous sommes si occupés à essayer de prolonger nos expériences plaisantes que nous oublions d'en profiter tant qu'elles sont là.

Je me souviens d'avoir perdu le contact avec la pleine conscience le jour où une amie californienne qui n'avait jamais voyagé sur la côte Est m'a annoncé son intention de venir en Nouvelle-Angleterre avant la fin de l'automne. Dans l'anticipation de sa visite, je regardais avec anxiété les arbres rougeoyants, me demandant si leurs feuillages seraient toujours aussi resplendissants à son arrivée. « Il faut qu'elle voie ça, me disais-je. Si les feuilles tombent, brunissent et se racornissent avant sa venue, son premier voyage automnal sur la côte Est sera gâché. » Au final, elle a annulé sa visite. « Eh bien, je suppose que maintenant je peux laisser la nature suivre son cours », ai-je pensé lorsqu'elle m'a appris qu'elle avait un empêchement. De toute évidence, vouloir empêcher les feuilles de tomber des arbres était grotesque. Et j'avais été si inquiète à l'idée de leur future chute que je n'avais pas profité de leur magnificence au moment où elle était le plus éclatante, là, devant mes yeux.

À l'inverse, face à une expérience, une pensée ou une émotion douloureuse, nous avons tendance à fuir ou à refuser ce qui se passe. Par exemple, une douleur dans un endroit précis du corps peut nous inciter à nous crisper entièrement, comme pour empêcher cette sensation d'inconfort de se diffuser ailleurs. Or, en refusant d'avoir mal, nous ajoutons une tension et une contraction supplémentaires à la douleur d'origine. Ou alors nous nous identifions à cette douleur en y greffant des jugements sur nous-mêmes et des reproches (« C'est ma faute. Je ne changerai jamais. »).

L'ironie de la chose, c'est que nous sommes généralement si affairés à faire disparaître la douleur à laquelle nous réagissons – souvent d'une façon qui l'intensifie – que nous n'en avons qu'une connaissance réduite. Ce qu'il faut comprendre, c'est qu'il existe une grande différence entre douleur et souffrance. Il est possible que nous vivions une expérience physique douloureuse, mais rien ne nous oblige à y ajouter la souffrance causée par une peur, une projection dans l'avenir ou quelque autre angoisse psychique. La pleine conscience peut jouer un rôle important dans notre bien-être en transformant notre vécu face à la douleur ou à une quelconque difficulté. Elle nous permet de reconnaître l'authenticité de notre détresse et, par conséquent, de ne pas la laisser nous submerger.

Par ailleurs, nous avons tendance à ignorer les expériences neutres, ordinaires, ou à nous en couper. Nous vivons dans un brouillard, ou uniquement dans notre tête, aveugles aux nombreux instants du quotidien susceptibles d'enrichir notre existence. En temps normal, nous avançons parfois si rapidement que nous perdons tout contact avec les moments de joie plus calmes qui pourraient nous nourrir et nous soutenir. Certains d'entre nous en arrivent à croire qu'ils ont besoin d'événements forts, heureux ou dramatiques, ou d'une décharge d'adrénaline pour les éveiller et leur donner le sentiment d'être vivants. Ils deviennent accros aux risques et aux frissons de toutes sortes.

Lorsque nous n'arrivons pas à vivre le moment tel qu'il est (parce que nous avons peur qu'il s'échappe trop vite s'il est agréable, qu'il dure toujours s'il est pénible, ou nous ennuie à mourir s'il est neutre), nous sommes en état de déséquilibre. La pleine conscience restaure l'équilibre. Grâce à elle, nous repérons nos réactions habituelles – nous accrocher, critiquer ou nous enfermer dans notre bulle – et nous sommes à même de les abandonner.

SUGGESTION

En Semaine 2, ajoutez un quatrième jour de pratique avec une session quotidienne d'au moins vingt minutes. Essayez d'alterner méditations assises et méditations en marchant. Si vous méditez le soir et vous sentez particulièrement agité ou somnolent, une marche méditative vous aidera à rétablir votre équilibre énergétique. À moins que vous appréciiez de reprendre simplement contact avec votre corps après une journée passée devant votre bureau à vivre uniquement dans votre tête.

Bien que plusieurs méditations commencent par se focaliser sur la respiration comme en Semaine 1, ou se servent du souffle comme point d'ancrage, cette semaine, la respiration ne constitue pas forcément notre principal objet d'attention. Certaines des méditations proposées ne demandent même pas d'en prendre conscience. Le souffle est un moyen parmi de nombreux autres de développer l'attention. Mon intention, à travers ce programme d'introduction de vingt-huit jours, est de vous offrir une vue d'ensemble des méthodes et techniques à votre disposition.

SCAN CORPOREL

Allongez-vous sur le dos dans un endroit confortable, les bras le long du corps et les yeux fermés. Respirez naturellement, comme indiqué dans la méditation de base de la Semaine 1. Vous allez procéder à un balayage de tout votre corps, des orteils jusqu'au sommet du crâne afin de vous centrer – une façon de vous rappeler que vous pouvez vous sentir chez vous à l'intérieur de votre corps. Tout d'abord, percevez le sol (ou le lit, le canapé) sur lequel vous êtes allongé. Détendez-vous et laissez-vous porter. Prenez conscience de votre dos. Si vous sentez une zone de tension ou de résistance, inspirez profondément et relâchez.

Il est possible qu'au cours du scan corporel vous perceviez une sensation agréable que vous aurez envie de prolonger. Dans ce cas, détendez-vous, accueillez la sensation plaisante et voyez si vous pouvez être proche d'elle sans vous y attacher. À l'inverse, face à une douleur, vous aurez sans doute le réflexe de repousser la sensation. Peut-être même éprouverez-vous de la colère ou de la peur. Si vous constatez que vous êtes en proie à l'une de ces émotions, essayez de la laisser filer et revenez à l'expérience vécue dans l'instant : à quoi ressemble la sensation de douleur ou de plaisir actuelle ? Sentez-la de manière directe, sans interprétation ni jugement.

Déplacez votre attention vers le sommet de votre crâne en prenant conscience des sensations présentes dans cette zone : picotements, démangeaisons, pulsations... voire de leur absence.

Très lentement, laissez votre attention descendre jusqu'au visage. Soyez attentif à tout ce que vous percevez – élancement, détente, compression, absence de sensation –, plaisant, douloureux ou neutre, au niveau du front, du nez, de la bouche, des joues. Votre mâchoire est-elle crispée ou détendue ?

Concentrez-vous sur vos yeux : sentez le poids de vos paupières, les mouvements des globes oculaires dans les orbites, le frôlement des cils. Prenez conscience de vos lèvres, de la légèreté de leur contact, de leur douceur, leur humidité, leur fraîcheur. Inutile de nommer ces sensations, il suffit de les percevoir. Si c'est possible, essayez de sortir des concepts tels que « sourcils » ou « bouche » pour entrer dans la sensation directe – intime, immédiate, vivante, en changement perpétuel.

Revenez au sommet de votre tête, puis descendez vers l'arrière, le long de la courbe du crâne. Prenez conscience de votre nuque. Percevez-vous des zones nouées ou douloureuses ?

Une fois encore, revenez au sommet de la tête, et déplacez votre attention vers les tempes. Sentez les oreilles, les côtés du cou, le haut des épaules. Ne cherchez pas à commenter ces sensations ni à les transformer ; contentez-vous de les éprouver.

Doucement, descendez sur le haut des bras, prenez conscience de vos coudes, de vos avant-bras. Concentrez-vous un moment sur les mains : les paumes, le dessus. Essayez de sentir chaque doigt, chaque phalange séparément.

Reportez votre attention sur la gorge, et descendez lentement le long du cou et sur la poitrine en remarquant chaque sensation. Continuez jusqu'à la cage thoracique, l'abdomen. Ne mettez aucune tension dans votre attention. Ne cherchez rien de spécial mais restez ouvert, réceptif à toutes les sensations qui se présenteront. Il ne s'agit pas d'agir sur elles, juste de les remarquer.

Reportez votre attention sur votre cou, et maintenant, déplacez-la vers l'arrière du corps : les omoplates, le milieu du dos, les lombaires. Vous sentirez peut-être des raideurs, des crispations, des zones nouées, des frémissements... Quoi que vous rencontriez, contentez-vous d'en prendre note.

À présent, concentrez-vous sur la région pelvienne et ce que vous ressentez dans cette zone. Déplacez lentement votre attention le long des cuisses, des genoux, des mollets, des chevilles. Placez-la sur les pieds.

Quand vous vous sentez prêt, ouvrez les yeux.

Durant vos activités quotidiennes, essayez de rester à l'écoute du monde des sensations et de ses transformations incessantes instant après instant.

MÉDITATION EN MARCHANT

La méditation en marchant constitue une très bonne approche pour devenir, pas après pas, pleinement conscient, et introduire cette conscience dans la vie courante. Elle est un modèle, un pont qui nous aide à effectuer tous nos mouvements en conscience au cours de la journée.

Cette méditation vise principalement à insuffler de la conscience à une action que nous exécutons le plus souvent de façon mécanique. En général, nous nous déplaçons d'un lieu à un autre en pilote automatique, concentrés sur notre prochain rendez-vous ou notre crainte d'arriver en retard à une réunion. Notre esprit est alors occupé à élaborer une excuse, imaginant ce que l'autre dira et ce que nous lui répondrons. Nous sommes tellement absorbés par ce scénario que nous ne remarquons plus que nous nous déplaçons. La marche méditative, elle, élimine le scénario pour ramener notre attention sur l'essentiel : les sensations de notre corps qui se meut dans l'espace.

Au lieu de suivre votre respiration, comme en Semaine 1, concentrez toute votre attention sur la sensation de vos pieds et de vos jambes au moment où vous les levez, les déplacez et les posez au sol. La plupart du temps, nous avons l'impression que notre conscience de nous-mêmes, de ce que nous sommes, se trouve dans notre tête, quelque part derrière les yeux. Mais dans cette méditation, c'est à nos pieds que nous confions les commandes. Essayez de percevoir vos pieds non pas comme si vous les regardiez d'en haut, mais comme s'ils vous contemplaient d'en bas. Comme si votre conscience montait depuis la terre.

Commencez par vous installer confortablement, les yeux ouverts, au début du circuit que vous avez choisi. Vos pieds sont écartés de la largeur des épaules, votre poids équitablement réparti sur chacun d'eux. Laissez vos bras retomber le long du corps de la manière qui vous semble la plus simple et naturelle, ou serrez doucement les mains l'une contre l'autre dans le dos ou devant vous.

À présent, concentrez-vous sur vos pieds. Percevez-en le dessus, la plante ; essayez de sentir chaque orteil. Prenez conscience du contact de la peau avec les chaussures (si vous en portez), puis avec le sol ou la terre. Avez-vous une sensation de lourdeur, de moelleux, de dureté ? La surface sous vos pieds est-elle lisse ou rugueuse ? Votre contact avec le sol est-il léger ou pesant ? Accueillez les sensations générées par ce contact entre vos pieds et la terre ou le sol, quelles qu'elles soient. Ressentez-les simplement, en oubliant les concepts de pied et de jambe.

Toujours debout, transférez doucement votre poids sur le pied gauche. Remarquez les subtiles modifications induites par cette nouvelle répartition : les changements d'équilibre, la manière dont les muscles s'étirent, se contractent et se relâchent de nouveau, les craquements ou les tressaillements dans vos chevilles. La jambe qui supporte tout votre poids tremble-t-elle ? Est-elle souple ou tendue ?

En restant concentré, revenez lentement au centre, bien en équilibre sur les deux pieds. À présent, mettez tout votre poids sur la jambe droite. Là encore, restez à l'écoute des sensations de votre corps pendant que vous effectuez ce transfert. Prenez note de la différence entre la jambe qui vous supporte et l'autre.

Replacez-vous tranquillement au centre et restez immobile un instant.

Maintenant, vous allez commencer à marcher, de la même façon délibérée et avec la même attention dénuée de tension qu'au moment où vous déplaciez votre poids d'une jambe sur l'autre. Soyez à la fois détendu, vigilant, et à l'écoute de ce qui se passe. Marchez à un rythme normal en vous focalisant sur les mouvements de vos jambes et de vos pieds. Remarquez qu'il est possible d'être concentré sur la sensation du pied qui touche le sol tout en restant conscient de l'environnement visuel et sonore, mais sans se laisser happer par lui. L'attention portée à la sensation liée au mouvement doit être légère, sans crispation. Les sensations sont comme un

repère. Vous pouvez noter en silence dans votre tête :
« contact, contact ».

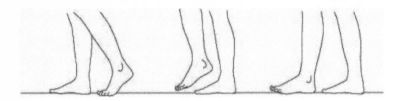

Soulevez le talon. Déplacez le pied dans l'espace.
Posez le pied sur le sol.

Au bout de quelques minutes, essayez de ralentir et prenez conscience de votre ressenti au moment où vous soulevez le talon, puis la totalité du pied, au moment où vous déplacez la jambe dans l'espace et posez le pied. Pour ancrer votre attention, notez simplement dans votre tête « soulever, poser ; soulever, poser » ou « lève, pose ; lève, pose ; lève, pose » chaque fois que votre pied quitte le sol ou s'y repose de nouveau.

Si vous êtes dehors, vous serez peut-être distrait par les gens autour de vous, les jeux de lumière ou un chien qui aboie. Ce n'est pas un problème ; contentez-vous de reporter votre attention sur le contact de votre pied avec le sol. Si vous vous apercevez que votre esprit s'est égaré, ramenez-le à la marche, à la sensation du mouvement. Dites-vous que, à l'instant où vous vous rendez compte que vous vous êtes laissé distraire, vous êtes déjà redevenu conscient.

Puis, après plusieurs minutes, ralentissez encore un peu votre marche en découpant chaque pas en trois temps : « soulever, déplacer, poser » ou « lève, avance, pose ». Assurez-vous d'avoir complètement terminé un pas avant de lever l'autre pied. Observez les sensations spécifiques à chaque étape : celle où le talon puis le pied entier se lèvent, où la jambe avance, où le pied se pose, ce qui se passe au moment du contact avec le sol, du transfert du poids du corps sur l'autre jambe, quand l'autre talon se lève. Et recommencez tout le processus. Le rythme de cette marche lente diffère considérablement de l'allure à laquelle nous nous déplaçons généralement. Vous aurez peut-être besoin d'un peu de temps pour vous habituer à cette nouvelle cadence : lever, avancer, poser, s'arrêter. Ensuite seulement, soulevez le talon de l'autre jambe.

Bien que votre attention soit focalisée sur vos pieds et vos jambes, vous pouvez de temps à autre noter ce qui se passe dans le reste du corps. Prenez conscience des sensations dans votre jambe, vos hanches, votre dos – les tensions, peut-être une raideur ou, au contraire, une fluidité. Contentez-vous de les éprouver, sans chercher à les nommer. Puis revenez à vos pieds et vos jambes. Percevez le léger rebond à l'instant où votre pied rencontre le sol et la solidité sécurisante de la terre au-dessous.

Vos notes mentales – « soulever, avancer, poser » – doivent être très discrètes, et vos mouvements gracieux, comme si cette marche méditative était un exercice d'art martial ou un pas de danse. Soulever, avancer, poser. Soulever, avancer, poser. Restez en contact avec votre vécu, à chaque instant.

Au début, cette méditation peut donner l'impression que l'on perd l'équilibre : plus on bouge lentement en prenant conscience de ses pieds, plus on se sent chancelant. Si cela se produit, accélérez légèrement. Faites de même si votre esprit a tendance à s'évader ou si vous avez du mal à vous connecter à vos sensations. Ralentissez dès que vous avez recouvré votre concentration. Expérimentez plusieurs allures afin de découvrir celle qui vous permet de rester focalisé sur la sensation de la marche – le rythme qui vous aide à demeurer pleinement conscient.

Au bout d'une vingtaine de minutes, arrêtez-vous et restez immobile. Prenez conscience de vos sensations à l'endroit où vos pieds sont en contact avec le sol ou la terre et de ce que vous voyez et entendez autour de vous. Puis mettez fin à la méditation.

N'oubliez pas que vous pouvez bouger en pleine conscience n'importe où et n'importe quand. Il vous suffit de vous mettre à l'écoute de vos sensations, que vous soyez debout, assis, que vous marchiez, montiez des escaliers, tourniez, décrochiez le téléphone, portiez une fourchette à votre bouche ou ouvriez la porte d'entrée.

À ESSAYER
Alternatives à la marche

Si vous avez du mal à marcher, effectuez cette méditation assis (ou couché si vous êtes alité), en concentrant votre attention sur une autre partie du corps. Par exemple, en levant et abaissant la main, ou en vous focalisant sur les sensations générées par le fait de rouler si vous vous déplacez en fauteuil. Suivez les indications telles qu'elles sont données pour les jambes et les pieds – mouvements lents, délibérés, concentrés – en les adaptant à la région corporelle que vous avez choisie.

MÉDITATION SUR LES SENSATIONS CORPORELLES

Asseyez-vous confortablement sur le sol, les jambes repliées devant vous et le dos droit, ou allongez-vous sur le dos, les bras le long du corps. Vous pouvez fermer les yeux ou les garder ouverts.

Commencez par les sons : prenez conscience de tous ceux qui vous parviennent. Laissez-les aller et venir ; vous n'avez rien à faire d'autre que les remarquer.

À présent, dirigez cette même conscience accueillante et dénuée de tension vers votre souffle, au niveau des narines, de la poitrine ou de l'abdomen, là où vous le percevez le mieux. Si vous le souhaitez, vous pouvez accompagner chaque inspiration et chaque expiration d'un mot silencieux – « inspir, expir », ou « entre, sort ».

Dans cette méditation, la respiration représente l'objet premier de la conscience jusqu'à ce qu'une sensation physique se révèle suffisamment forte pour vous en détourner. Au moment où cela se produit, n'essayez pas de lutter, mais lâchez le souffle pour porter toute votre attention sur la sensation qui vous a distrait. Laissez-la devenir le nouvel objet de votre méditation.

Si vous le souhaitez, vous pouvez mettre un mot sur ce que vous ressentez, que ce soit agréable ou déplaisant : « chaleur », « froid », « battement », « démangeaison », « détente ». Peu importe le terme exact, cette étiquette mentale vise juste à établir un contact plus direct entre votre esprit et l'expérience immédiate. N'essayez pas de contrôler votre ressenti corporel ni de le modifier. Contentez-vous de laisser les sensations aller et venir, en les nommant à l'arrière-plan de votre esprit si cela vous aide.

Si la sensation qui a attiré votre attention est agréable – une délicieuse impression de relâchement dans les jambes, un répit au milieu d'une douleur chronique ou une légèreté qui vous donne l'impression de flotter –, vous aurez peut-être envie de vous y accrocher pour la prolonger. Dans ce cas, détendez-vous, accueillez ce qui se passe et voyez si vous pouvez faire l'expérience du plaisir sans vous y agripper. Observez la sensation, puis laissez-la partir.

Si, à l'inverse, la sensation est déplaisante ou douloureuse, votre premier réflexe sera sans doute de la repousser. Il est possible que cette sensation vous agace, vous effraie, vous rende anxieux ou vous crispe. Prenez note de ces réactions et essayez de revenir à l'expérience directe pour savoir à quoi ressemble la sensation en soi, quand vous la séparez de la réaction qu'elle provoque.

S'il s'agit d'une douleur, observez-la avec attention. Où la percevez-vous exactement ? Dans une, ou plusieurs régions du corps ? Comment la décririez-vous ? Malgré une apparence solide et monolithique, la douleur, lorsqu'on l'examine de près, se décompose en plusieurs éléments. Ainsi, elle pourra tirer et tordre à certains moments, puis à d'autres, brûler, comprimer ou élancer comme un coup de poignard. Cette douleur devient-elle plus ou moins intense à mesure que vous l'observez ? Est-ce qu'elle se désagrège, disparaît et revient par intermittences ? Que se passe-t-il entre les torsions et les coups de poignard ? En parvenant à détecter ces différents éléments, on s'aperçoit que la douleur n'est pas une masse compacte permanente et impénétrable mais se transforme sans cesse. Entre chaque manifestation douloureuse, il existe des intervalles de répit.

Essayez de vous focaliser sur un petit détail. Au lieu d'appréhender toutes les sensations, disons, de votre dos, recherchez le point douloureux le plus intense. Examinez-le. Voyez s'il évolue pendant cette observation. Si cela vous aide, mettez un mot sur chacun de ces changements. Que se passe-t-il vraiment ? Parvenez-vous à différencier la sensation pure de ce que vos réponses conditionnées greffent dessus ? Par exemple, quand vous luttez pour vous débarrasser de la douleur présente, quand vous anticipez avec effroi celle qui s'annonce, ou encore quand vous vous reprochez d'avoir mal ?

Si une pensée vient vous troubler ou vous distraire, laissez-la passer. S'il s'agit d'une émotion, concentrez-vous sur ses caractéristiques physiques au lieu de l'interpréter ou de la juger. Dans quelle zone du corps la situez-vous ? Comment affecte-t-elle ou modifie-t-elle votre organisme ? Qu'elle soit plaisante ou désagréable, continuez à observer directement la sensation physique.

Ne restez pas trop longtemps en contact avec les sensations douloureuses. Revenez à la respiration. Souvenez-vous que dans les expériences très difficiles votre souffle est un refuge, une manière de rentrer chez vous.

Laissez votre attention se déplacer entre les sons, la respiration et les sensations. La pleine conscience reste ouverte, détendue, spacieuse et libre, quel que soit son objet. Si vous éprouvez une sensation physique particulièrement intense, scannez rapidement le reste de votre corps. Les muscles qui entourent la zone douloureuse sont-ils contractés ? Vous crispez-vous pour tenter de prolonger une sensation agréable ? Dans les deux cas, prenez une inspiration profonde et relâchez votre corps et votre esprit. La douleur est coriace, mais elle finit par passer. Le plaisir est merveilleux, mais il finit par passer. Vous n'avez ni le pouvoir de fixer une sensation plaisante ni celui d'empêcher la douleur de venir, mais vous pouvez être conscient de l'une et de l'autre. Dans la pratique de la pleine conscience, nous ne cherchons pas à saisir ou à améliorer ce qui est là ni à le transformer en une nouvelle expérience. Nous laissons simplement l'esprit se poser sur ce qui capte son attention.

Mettez doucement fin à la méditation. Voyez si vous pouvez accéder à ce sentiment d'ancrage corporel, ce contact direct avec les sensations, durant le reste de la journée. À différents moments, cessez vos activités et prenez conscience de votre corps. Notez les sensations qui prédominent. Essayez de rendre directes vos expériences physiques et tactiles dans le quotidien : sentez la dureté froide de votre verre d'eau, l'effort de vos bras et les vibrations de votre dos et de votre nuque quand vous balayez.

MÉDITATIONS DANS LE QUOTIDIEN

Un ami m'a expliqué qu'il avait transformé son brossage de dents quotidien en occasion de pratiquer la pleine conscience en ralentissant et se concentrant sur chaque étape de cette tâche généralement mécanique. La première chose dont il s'est aperçu, c'est qu'il serrait le manche de sa brosse à dents comme s'il s'était agi d'un marteau-piqueur près de lui sauter des mains. Il a vu dans cette découverte un indice intéressant, le signe qu'il mettait peut-être trop de force ou d'énergie dans d'autres activités, depuis sa façon de faire son lit jusqu'à celle de s'y coucher.

L'observation d'une seule de nos activités nous en apprend souvent beaucoup sur nous-mêmes et nous permet d'en tirer des leçons pour tout le reste. Essayez de transformer l'une de vos tâches quotidiennes en méditation. Faites-en une occasion de revenir au présent, de prêter attention à ce qui se passe, de découvrir quelque chose sur vous-même, de mieux profiter des plaisirs simples, et – pourquoi pas ? – d'appréhender cette activité avec plus de finesse.

Choisissez une tâche brève et quotidienne, que vous avez effectuée des milliers de fois, mais jamais en pleine conscience. Cette fois-ci, consacrez-y toute votre attention. Voici une suggestion d'exercice de pleine conscience :

MÉDITATION AUTOUR DU THÉ

Combien de fois par jour agissons-nous sans avoir réellement conscience de ce que nous sommes en train de faire ? Quelle attention prêtons-nous au goût de notre thé quand nous le prenons en lisant le journal, en parcourant nos mails, en discutant ou en écoutant la radio ? Dans cet exercice, nous nous efforcerons d'être totalement présents à chaque instant de cette seule activité : prendre le thé.

Oubliez tout ce qui pourrait vous distraire, et servez-vous une tasse de thé. Vous pouvez, si vous le souhaitez, transformer sa préparation en rituel méditatif : remplissez lentement la bouilloire en restant attentif aux changements de tonalités à mesure que le niveau monte, puis en écoutant le chant de l'eau qui bout, le chuintement de la vapeur et le sifflet de la bouilloire. Mettez délicatement une pincée de feuilles séchées dans une boule à thé que vous placerez dans votre tasse et humez la vapeur parfumée qui s'en dégage pendant l'infusion. Sentez le poids de la bouilloire et la surface creuse et lisse de l'intérieur de la tasse.

Sans cesser de méditer, saisissez la tasse. Observez sa forme et sa couleur, la façon dont elle modifie la teinte naturelle du thé. Percevez sa chaleur sur vos paumes. En la portant à vos lèvres, prenez conscience du léger effort des muscles de votre main et de votre avant-bras. Écoutez le subtil clapotis du liquide pendant ce mouvement. Respirez le parfum de la vapeur. Ayez conscience du contact lisse de la tasse sur votre lèvre, du voile d'humidité sur votre visage, de la chaleur ou de la légère brûlure de la première gorgée sur les lèvres et la langue. Goûtez le thé. Quelles nuances décelez-vous ? Remarquez chaque infime morceau de feuille sur votre langue, la sensation éprouvée lorsque vous avalez, la chaleur qui descend le long de votre gorge. Percevez votre souffle contre la tasse qui crée un minuscule nuage de vapeur. Restez conscient de chacun de vos gestes en reposant la tasse. Concentrez-vous sur chaque étape, chaque détail de cette dégustation.

Toutes sortes de pensées et de jugements risquent d'émerger : « J'aurais dû choisir un autre thé » ; « Je bois trop de thé » ; « Je ne prends pas suffisamment le temps d'apprécier mon thé » ; « Je ferais mieux de payer mes factures au lieu de respirer du thé » ; « Est-ce qu'il me reste du thé ? ». Prenez-en note et laissez-les passer. Revenez simplement à l'expérience en train de se dérouler. Au présent, et rien qu'au thé.

À ESSAYER
Accomplissez une tâche au ralenti

Recouvrez ou aiguisez un peu plus votre attention en réalisant au ralenti l'activité à laquelle vous vous livrez. Si vous déjeunez, percevez la sensation des aliments sur votre langue, la pression de vos dents quand vous mâchez, de vos doigts autour de la fourchette ou la cuillère, ou le mouvement de votre bras au moment où vous portez une bouchée à vos lèvres. Autant d'éléments spécifiques qui nous échappent souvent dans le rythme effréné de la journée.

Essayez de faire la vaisselle au ralenti, en ayant conscience de chaque étape du processus : le bac que vous remplissez d'eau, le produit nettoyant que vous y versez, les plats que vous grattez, immergez, frottez, rincez, essuyez. Prenez votre temps à chaque étape en vous concentrant sur les détails sensoriels. Voyez si vous arrivez à rester dans l'instant présent pour tous les objets que vous lavez, un à un : plat, assiette, couvert. Vous sentez-vous calme ? Agacé ? Prenez note des émotions qui se présentent – impatience, lassitude, ressentiment, satisfaction. Quels que soient les sentiments ou les pensées qui surgissent, efforcez-vous de les accueillir avec sensibilité. Ils constituent le moment présent, et c'est parfait.

Certaines personnes, lorsqu'elles méditent en marchant pour la première fois, n'arrivent pas à avoir conscience de leurs pieds autrement qu'en les regardant. Cette forme de méditation nous aide à mieux entrer en contact avec nos sensations physiques au moment où elles surviennent, nous évitant de devenir, comme M. Duffy, ce personnage de la nouvelle de James Joyce, « Un cas douloureux », tellement déconnecté de lui-même qu'il « vivait un peu à distance de son corps ». Cette marche lente et contemplative nous procure une expérience nouvelle et immédiate de notre corps : pas le souvenir de nos pieds ou l'idée que nous nous en faisons, mais la façon dont nous les percevons à l'instant précis où nous les mouvons. Avec cette méditation, nous introduisons le mouvement en pleine conscience dans notre vie quotidienne.

La méditation sur les sensations permet de différencier l'expérience directe de notre corps de toutes les représentations habituelles et conditionnées que nous portons en nous. Elle est particulièrement efficace pour apprendre à laisser les sensations surgir et s'effacer naturellement, sans s'y attacher, les juger ni s'en déconnecter – trois réflexes conditionnés qui nous empêchent de repérer les nombreuses occasions de joie authentique qui se présentent à nous. Combien de moments merveilleux à portée de main ont été gâchés par nos regrets anticipés de leur disparition ? Je pense à cette jeune mère qui m'a confié un jour s'être surprise à éprouver une telle mélancolie devant la vitesse à laquelle son enfant grandissait et se détachait d'elle qu'elle en oubliait l'adorable fillette qu'elle tenait encore dans ses bras. Combien de fois notre désir d'éviter la douleur nous fait-il passer à côté de la douceur des moments aigres-doux, de la possibilité de progresser en relevant un défi, d'aider les autres ou d'accepter leur aide ? Combien de plaisirs nous échappent parce que nous croyons avoir besoin de sensations fortes et spectaculaires pour nous sentir vivants ? La pleine conscience nous permet de vivre pleinement le moment présent – ce que Thoreau appelait l'« émergence du présent » – et de nous débarrasser de cette neutralité qui nous empêche de savourer ces petits moments de richesse qui ajoutent de la densité à la vie.

La méditation sur les sensations peut également nous aider à approcher la douleur en pleine conscience. Elle nous apprend à rester proche de l'expérience douloureuse telle qu'elle apparaît dans l'instant, sans l'alourdir par une détresse ou des difficultés imaginaires. Si nous l'observons attentivement, la douleur, qu'elle soit liée à un mal de tête ou à une peine de cœur, se révèle sujette au changement : l'inconfort oscille ; des moments de répit séparent les périodes de désagrément. Lorsque nous constatons par nous-mêmes que, loin d'être statique, la douleur est un système changeant et vivant, elle ne nous paraît plus aussi inébranlable ni insurmontable qu'auparavant.

Nous n'avons pas de moyens d'échapper à la douleur, mais nous pouvons modifier notre façon d'y répondre. L'une de mes étudiantes utilisait la méditation sur les sensations corporelles pour supporter une douleur chronique rebelle consécutive à une maladie de Lyme. Elle concentrait sans trêve sa conscience sur sa façon de sentir l'instant présent. Elle observait la douleur, m'expliquait-elle, son flux et son reflux, sa localisation, ses trajets, sa forme et sa texture – parfois irradiante, parfois pulsative, ou encore attaquant par flashs. Elle la contemplait avec attention pour voir comment, à l'instar de tout dans l'univers, cette douleur se transformait. Et elle trouvait des moments de répit qui l'aidaient à tenir. Elle ne s'est pas débarrassée de sa douleur, mais, selon ses propres termes, elle y a « trouvé de l'espace ».

L'apport de la science sur ce point est intéressant. En effet, des chercheurs ont découvert que chez certains sujets la pratique de la méditation permettait de diminuer la perception de la douleur. En 2010, des scientifiques anglais ont constaté que les pratiquants expérimentés semblaient mieux supporter la douleur physique que la plupart des gens, notamment parce que leurs neurones sont moins occupés à l'anticiper. Pour cette expérience, les chercheurs ont induit une douleur par laser chez un groupe de participants, dont ils ont ensuite observé les réactions par imagerie cérébrale. Les clichés de personnes pratiquant la méditation depuis longtemps ont révélé une activité moindre dans les zones du cerveau impliquées dans la régulation de la pensée et de l'attention dans les situations perçues comme menaçantes. « Les résultats de cette étude corroborent nos hypothèses concernant l'impact de la méditation sur le cerveau, explique le Dr Christopher Brown, directeur de recherche à l'université de Manchester. La méditation entraîne le cerveau à se focaliser sur le présent, ce qui laisse moins de place à l'anticipation d'éventuelles situations négatives. »

FAQ
(Foire aux questions)

Q Lorsqu'on a mal, ne risque-t-on pas d'aggraver la douleur en se concentrant dessus et en en faisant un objet d'attention ?

R Parfois, il est utile d'approcher la douleur avec une conscience ciblée, de manière à la ressentir uniquement en son point le plus précis et le plus intense. À d'autres moments, il est préférable de prendre du recul et de garder un contact un peu plus distancié avec elle, en en prenant rapidement note avant de la lâcher. Ce qui compte, c'est de l'aborder dans un esprit d'exploration : quelle que soit la durée pendant laquelle vous vous focalisez sur elle, accueillez-vous cette douleur ? Vous y intéressez-vous ? Lui prêtez-vous attention ? Ou rempli de peur et de ressentiment, tirez-vous des conclusions et la jugez-vous ?

Affronter la douleur n'est pas une question d'endurance. Il ne s'agit pas de rester assis en serrant les dents et en traversant l'épreuve coûte que coûte, quelle que soit l'intensité de la souffrance. Par notre pratique, nous essayons autant que possible d'accueillir l'expérience sans tomber dans nos vieux automatismes réactionnels. L'essentiel, c'est d'être ouvert, non seulement à la douleur mais aussi à tout le reste.

Q Je trouve plus facile de pratiquer en marchant qu'assis. Mais la méditation en marchant est-elle vraiment une méditation ?

R Il est possible de pratiquer dans quatre postures différentes : assis, debout, en marchant ou allongé, chacune d'elles étant également « juste », c'est-à-dire une forme de méditation à part entière. La différence visible entre les quatre, c'est l'énergie. A priori, on générera un minimum d'énergie allongé et un maximum en marchant. C'est pourquoi il est parfois conseillé de pratiquer en marchant lorsqu'on se sent fatigué ou l'esprit brumeux. La marche représente également une bonne alternative à la position en cas d'agitation ou si l'on ressent le besoin de canaliser un surcroît d'énergie corporelle. Le fait de marcher ne dispersera pas cette énergie, mais permettra de la diriger afin de retrouver un meilleur équilibre.

Q Quand je médite en marchant, j'ai du mal à ne pas remarquer tout ce qui se passe autour de moi. Comment faire pour ne pas me laisser déconcentrer ?

R Il arrive qu'un élément environnant happe notre attention de façon quasiment irrésistible. Quand cela se produit, cessez simplement de marcher et concentrez-vous pleinement sur l'élément en question pendant quelques instants, puis lâchez-le. En revanche, si vous vous arrêtez toutes les dix secondes parce qu'un oiseau, une feuille ou un passant détourne votre attention, cela signifie probablement que vous devez changer votre manière de faire en vous polarisant essentiellement sur les sensations liées au mouvement : ne pas vous fermer à l'extérieur, mais ne pas non plus laisser tout ce qui se passe autour de vous s'emparer de votre attention. Cherchez un équilibre.

Q Quand je médite en rentrant du travail, je sens parfois mon corps tendu et agité, et je n'arrive pas à me concentrer. Ma pratique serait-elle facilitée si je commençais par quelques postures de yoga ou des étirements ?

R Le fait d'avoir remarqué ce qui se passait en vous est un bon départ. Les jours où vous vous sentez nerveuse, essayez de commencer la pratique par une méditation en marchant, puis, après seulement, asseyez-vous. Si vous en avez la possibilité, vous pouvez même remplacer l'assise par une marche consciente.

Autre suggestion : juste avant de vous installer pour la méditation assise, dénouez les tensions éventuelles en faisant cinq à dix minutes d'étirements ou en adoptant deux ou trois postures de yoga. Laissez votre corps s'étirer comme il le souhaite. Puis installez-vous pour votre méditation assise. Votre corps est-il suffisamment apaisé pour que vous vous focalisiez sur la respiration ? Bien sûr, si vous ressentez de l'agitation ou un inconfort pendant la pratique, essayez de rester en contact avec ces sensations de manière équilibrée, afin de découvrir ce qu'elles peuvent vous apprendre.

Q Parfois, mon dos et mes genoux me font tellement mal pendant l'assise que j'ai envie de tout arrêter. Dans ces cas-là, vaut-il mieux que je m'assoie sur une chaise ?

R Vous pouvez en effet vous installer sur une chaise, ou attendre d'être plus familiarisé avec la posture de l'assise pour voir si cette douleur au dos s'atténue. Assurez-vous également que votre corps a un bon support et un bon alignement : peut-être avez-vous besoin de coussins sous vos genoux ou de surélever un peu plus vos fesses. Par ailleurs, il est intéressant que vous cherchiez ce que cet inconfort peut vous apprendre. Localisez-le précisément dans votre corps. Restez en contact avec la sensation un moment, voyez si elle se transforme. S'intensifie-t-elle ou diminue-t-elle pendant que vous l'observez ? Reste-t-elle égale ? Abordez-la dans un esprit d'exploration : « Quelle est mon expérience actuelle ? Est-elle uniquement désagréable ? Évolue-t-elle ? » Écoutez votre discours intérieur à son propos. Vous dites-vous quelque chose du genre : « Je ne devrais pas avoir mal », « Je hais cette douleur », « Si j'ai toujours aussi mal dans une demi-heure, ce sera insupportable » ? Prenez note mentalement, sans forcer, de votre expérience présente, en évitant de la juger, de broder autour, d'y adhérer ou de la repousser. Puis, dès que vous aurez accueilli la sensation, reportez votre attention sur la respiration. Si vous constatez que vous demeurez en lutte contre cette douleur et que vous la détestez, mieux vaut changer de posture et recommencer. Mais essayez de voir ce qui se passe quand vous l'observez avec un esprit ouvert au lieu de l'appréhender comme d'habitude.

POINTS CLÉS

Pour la plupart d'entre nous, la pleine conscience est un état transitoire. Nous y restons un moment, puis nous nous en éloignons de nouveau pendant une longue période, préoccupés par le passé, l'avenir ou les soucis. Nous recommençons à voir le monde à travers le prisme de nos croyances et de nos vieilles certitudes. C'est cette proportion entre les moments de pleine conscience et les autres que nous essayons de modifier par la pratique, de manière à multiplier les occasions de recentrer et de focaliser notre attention. La pleine conscience n'est pas difficile à atteindre ; il suffit de se rappeler d'y entrer.

Un nouveau pratiquant, avocat de son métier, m'a expliqué que méditer en marchant l'avait amené à se concentrer sur des petits détails auxquels il ne prêtait pas attention auparavant : « Je me suis aperçu que j'avais beau être un grincheux notoire, je n'en éprouvais pas moins de la reconnaissance pour des choses telles que la sensation de la brise ou du soleil sur ma nuque. L'autre jour, alors que je me rendais à pied à un rendez-vous qui s'annonçait difficile, j'ai décidé de faire particulièrement attention au soleil, au vent, et au plaisir de leur contact. Je suis arrivé dans un état d'esprit plus agréable, mieux disposé à écouter le point de vue de mon interlocuteur. Le rendez-vous s'est mieux passé que je l'avais prévu. On ne nous apprend pas le soleil et le vent à la fac de droit. »

Les gens pensent souvent : « Je ne suis pas pleinement conscient comme il le faudrait, je n'ai pas le bon niveau de concentration. » Dans ce domaine, les progrès ne dépendent pas d'un quelconque niveau, mais de la fréquence de la pratique. Si l'on se rappelle qu'il faut éveiller sa conscience, si l'on multiplie ces moments, le tour est joué. Dans une journée, nous passons à côté de milliers d'occasions d'être pleinement présents. Emportés par nos réactions, nous nous déconnectons sans cesse de ce qui se passe. Mais, dès l'instant où nous nous en apercevons, la pleine conscience est de retour. Le fait de s'en rendre compte est son essence même. Alors, nous pouvons en relancer le mécanisme.

Semaine 3

PLEINE CONSCIENCE ET ÉMOTIONS
Gérer les pensées et les émotions

J'ai entendu de magnifiques définitions de la pleine conscience. Sylvia Boorstein, à la fois auteur et instructrice de méditation, parle d'« une attention en éveil à ce qui se passe à l'intérieur et à l'extérieur de soi afin de pouvoir y répondre depuis un lieu de sagesse » ; le poète et maître zen vietnamien Thich Nhat Hanh de l'« énergie qui nous permet d'être là à cent pour cent ; l'énergie de notre vraie présence ». Mais mon illustration préférée de la pleine conscience est celle d'un élève de CM2 de l'école de Piedmont Avenue à Oakland, Californie.

En 2007, l'école a lancé un programme pilote proposant cinq semaines de formation à la pleine conscience par le biais de sessions de quinze minutes, deux fois par semaine. L'intitulé annonçait : « Une respiration calme dans un corps immobile. » Guidés par un instructeur, les élèves ont aiguisé leur attention en se concentrant sur leur souffle et en prenant note des émotions qui les traversaient. Le formateur leur a également proposé de cultiver la bienveillance en réfléchissant – « en faisant une pause » – avant de se jeter sur un de leurs camarades dans la cour. D'après le *New York Times*, l'un des élèves ayant participé à ce programme aurait un jour confié à un copain : « Je perdais au base-ball, et j'avais envie de balancer ma batte. La pleine conscience m'a vraiment aidé. »

Un autre garçon de onze ans, à qui un journaliste demandait de décrire la pleine conscience, a donné cette réponse : « C'est ne pas frapper au visage. »

Un résumé intelligent et profond, qui illustre l'une des fonctions les plus importantes de la pleine conscience : nous aider à gérer les émotions difficiles. Cette image très concrète fait référence à la distance que la pleine conscience permet de créer entre un événement déclencheur et la manière conditionnée dont nous y répondons. Alors, nous pouvons profiter de cet espace pour nous ressaisir et modifier notre réaction. Elle montre de façon très concrète qu'il est possible d'apprendre à effectuer des choix plus judicieux.

« Il ne savait pas quoi faire de son énergie », a expliqué la mère du garçon lors d'une réunion de parents. Selon elle, son fils réagissait par des coups dès qu'il se sentait perdu ou frustré. Mais la formation à la pleine conscience a changé ce schéma de fonctionnement. « Un jour, après l'école, il m'a dit : "Je fais une pause." »

C'est exactement ce que la pratique de la pleine conscience nous permet de ne pas oublier. Travailler sur les émotions durant les sessions de méditation accroît notre capacité à les identifier dès l'instant où elles surgissent, et pas une quinzaine de réactions plus tard. Nous sommes alors en mesure de développer une relation plus juste avec elles, sans les laisser nous submerger et nous pousser à la violence, ni les ignorer parce qu'elles nous effraient ou nous font honte.

Nous apprenons beaucoup dans cet entre-deux de pleine conscience. À l'instar de l'élève d'Oakland, nous découvrons que nous pouvons toujours faire une pause – pour nous recentrer dans notre corps (en suivant notre respiration ou grâce à un rapide scan corporel comme celui que nous avons appris la semaine dernière), accueillir notre ressenti, repérer nos réactions automatiques (qu'elles s'expriment avec force sous le coup de la frustration ou nous minent silencieusement), et peut-être décider d'en changer.

Je n'avais que dix-huit ans quand j'ai débuté ma pratique, et j'avais beau savoir que j'étais profondément malheureuse, je n'étais pas consciente du chagrin, de la colère et de la peur que dissimulait ce sentiment. Tout ce que je sentais, c'était une masse compacte de tristesse. Grâce à la méditation, j'ai pu examiner l'intérieur de ce bloc et repérer les différents composants de ma douleur. Ce que j'ai découvert m'a tellement troublée que je me suis rendue auprès de mon instructeur, S.N. Goenka, et lui ai déclaré d'un ton accusateur : « Avant de méditer, je n'avais pas de colère en moi ! » Évidemment que si, j'en avais : ma mère était morte, je connaissais à peine mon père, et n'en savais guère plus sur moi. La méditation m'a permis de mettre au jour cette détresse. En entendant mes reproches, S.N. Goenka a commencé par rire, puis il m'a rappelé les moyens dont je disposais désormais pour affronter les émotions douloureuses que j'avais cachées jusqu'alors (à moi-même plus qu'aux autres). Parce que j'avais reconnu leur existence, j'ai pu changer mon rapport avec elles et trouver un juste milieu entre le rejet pur et simple et une adhésion totale.

J'ai franchi la première des quatre étapes indispensables pour gérer ses émotions en pleine conscience : *reconnaître* ce que j'éprouvais. Il est impossible de comprendre comment faire face à une émotion si l'on ne commence pas par reconnaître qu'elle existe.

La deuxième étape est *l'acceptation*. Nous avons tendance à résister à certaines émotions, voire à les nier, surtout si elles sont déplaisantes. Or, durant la pratique, nous accueillons toutes les émotions qui se présentent. Si vous faites l'expérience de la colère, c'est cette colère qui servira de véhicule à la pleine conscience ; si vous éprouvez de l'ennui, alors utilisez l'ennui. Nous ne nous blâmons pas si une émotion négative apparaît. Et nous n'oublions pas que les émotions surgissent sans nous demander notre avis. Nous n'avons pas le pouvoir de déclarer : « J'ai suffisamment souffert. Fini le chagrin ! » ou « Ce sentiment de trahison qui ne me quitte plus depuis le divorce ? Terminé. Je n'en veux plus. »

La troisième étape consiste à *explorer* l'émotion. Au lieu de la fuir, nous restons en contact avec elle en l'observant avec un intérêt impartial. Pour cela, il est nécessaire de prendre du recul, non seulement pour ne pas se laisser emporter par nos réactions habituelles, mais aussi pour se détacher de la situation à la base de cette émotion. Au moment où une émotion forte nous submerge, nous avons souvent tendance à nous polariser sur sa cause ou sur un objectif du genre : « Ça me met tellement hors de moi que je vais raconter à tout le monde ce qu'il a fait et fiche en l'air sa réputation » au lieu d'examiner l'émotion elle-même. Or, en acceptant d'explorer une situation négative sans pour autant nous y complaire, nous nous donnons les moyens de remplacer nos vieux réflexes réactionnels par une nouvelle forme d'approche. Cela n'a souvent rien à voir avec une solution quelconque ; parfois, il suffit de changer son rapport au problème pour que celui-ci disparaisse.

Peu de temps après l'ouverture de notre centre de retraite de l'Insight Meditation Society, l'un de mes instructeurs indiens, Anagarika Munindra, nous a rendu visite. À cette époque, ma pratique était de nouveau perturbée par des bouffées de colère. Comme je lui exprimais mon inquiétude à ce sujet, Munindra-Ji m'a déclaré : « Imagine qu'un vaisseau spatial atterrisse sur la pelouse et qu'un Martien en sorte et te demande "Qu'est-ce que la colère ?" C'est ainsi que tu devrais te comporter face à ta colère. Pas en pensant : "C'est mal", "C'est terrifiant" ou : "Elle est justifiée", mais simplement en t'interrogeant : quelle est cette émotion que nous appelons colère et à quoi ressemble-t-elle. »

À partir du moment où nous observons notre colère ou n'importe quelle émotion forte en remarquant où elle se situe dans le corps, il y a de grandes chances pour que nous nous apercevions que, loin d'être une masse solide, elle se compose de plusieurs éléments. La colère renferme des moments de tristesse, de frustration, de peur. Ce qui semble si dense et rigide, si inflexible et permanent est en réalité en perpétuel changement. (J'ai déjà mentionné ce fait plus haut, mais on ne s'en souviendra jamais assez.) Dès que nous en prenons conscience, nous commençons à sentir que cette émotion puissante et douloureuse est plus docile que nous ne l'imaginions.

L'acceptation conduit à la quatrième étape de la gestion des émotions en pleine conscience : *ne pas s'identifier* à l'émotion. La gêne ou la déception que vous éprouvez aujourd'hui ne vous résume pas, elle ne définit pas une fois pour toutes ce que vous êtes et ce que vous serez demain. Au lieu de confondre un état temporaire avec votre moi global, il est nécessaire de prendre acte que vos émotions surgissent, durent un moment, puis s'évanouissent. Vous éprouvez de la peur, puis vous n'en éprouvez plus. Vous êtes plein de ressentiment, puis vous ne l'êtes plus.

Ces quatre étapes – la reconnaissance, l'acceptation, l'exploration et la non-identification – sont toutes nécessaires pour pouvoir appréhender les pensées en pleine conscience. Nous avons tendance à nous identifier à nos pensées plus encore qu'à notre corps. Si nous avons le cafard et pensons à des choses tristes, nous en concluons « Je suis une personne triste », alors que nous nous disons rarement « Je suis un coude douloureux » quand nous nous cognons. La plupart du temps, nous croyons que nous *sommes* nos pensées. Nous oublions – à moins que nous n'en ayons même jamais eu conscience – qu'une part de notre esprit *regarde* ces pensées surgir et s'éloigner. Parfois, je propose à mes étudiants de considérer chaque pensée comme un visiteur frappant à leur porte. Les pensées ne vivent pas ici ; vous pouvez les accueillir, reconnaître leur existence puis les regarder s'éloigner.

La pratique de la pleine conscience n'a pas pour objectif d'éliminer les pensées, mais de nous aider à savoir ce que nous pensons au moment où nous le pensons, tout comme nous voulons savoir ce que nous ressentons au moment où nous le ressentons.

Grâce à elle, nous pouvons observer nos pensées, voir de quelle façon elles s'enchaînent, nous demander si nous suivons une mauvaise pente et, si c'est le cas, lâcher prise et changer de direction. La pleine conscience nous permet de nous rendre compte que nous sommes beaucoup plus qu'une pensée effrayée, envieuse ou colérique. Nous pouvons avec son aide rester dans la conscience de la pensée, nous adresser à la compassion si elle nous perturbe, et faire appel à notre stabilité et à notre bon sens pour décider si nous souhaitons agir ou non sur elle, et de quelle façon.

LES ÉMOTIONS LES PLUS ÉPROUVANTES

À travers l'Histoire, des observateurs avisés du comportement humain ont désigné à maintes reprises un ensemble de tendances nuisibles faisant obstacle au bonheur. Il s'agit des états d'esprit qui nous distraient durant la pratique de la méditation et nous font trébucher le reste du temps. En résumé : le désir, l'aversion, la paresse, l'agitation et le doute. Ils se manifestent sous divers aspects que vous n'aurez aucun mal à reconnaître. Le désir comprend l'avidité, le besoin de s'accrocher, le sentiment de manque ou l'attachement. L'aversion peut prendre la forme de la haine, de la colère, de la peur ou de l'impatience. La paresse ne s'exprime pas uniquement par l'oisiveté, mais aussi par l'indifférence, la déconnexion et cette apathie générée par le déni ou l'impression d'être dépassé : « Ça s'annonce difficile, je crois que je vais faire une sieste. » L'agitation, quant à elle, regroupe l'anxiété, l'inquiétude, l'irritabilité ou la nervosité. Le doute auquel nous faisons allusion ne désigne pas un questionnement de bon aloi mais une incapacité à s'engager ou se décider. Le doute nous donne le sentiment d'être dans une impasse, incapables de savoir comment agir. Il nous empêche de nous engager pleinement (dans les relations, dans la pratique méditative) et nous fait passer à côté d'expériences profondes.

J'aime raconter à mes étudiants l'histoire réelle dont se sert Sylvia Boorstein pour illustrer la manière dont ces cinq obstacles opèrent dans nos vies. Un matin, l'une de ses connaissances sort de chez elle pour se rendre au travail. En arrivant à sa voiture garée dans la rue, elle s'aperçoit avec horreur qu'on lui a volé ses quatre roues. Sa première réaction est alors de se diriger vers le centre commercial le plus proche, où elle s'achète un pyjama en soie. Ce n'est qu'une fois ainsi réconfortée qu'elle se sent la force de rentrer chez elle pour appeler la police. Voici un exemple parfait de la dimension « désir en action » : cette femme est incapable d'affronter la réalité de sa situation tant qu'elle ne s'est pas renforcée en satisfaisant une envie.

Boorstein imagine ensuite les différents types de réactions que peuvent induire les quatre autres obstacles. Une personne sujette à l'aversion – la colère – deviendra folle de rage en découvrant qu'on lui a volé ses roues. Elle donnera un coup de pied dans la voiture et s'en prendra au voisinage s'il n'a rien remarqué.

Quelqu'un de paresseux se sentira incapable de faire face au vol de ses roues. Il rentrera chez lui, téléphonera à son travail pour dire qu'il ne se sent pas bien et passera la journée au lit.

Celui qui se sent facilement anxieux se laissera entraîner dans une spirale sans fin : « Aujourd'hui, ce sont mes roues, demain ce sera la voiture. Jusqu'à ce qu'on s'en prenne à moi. »

Quant à celui qui doute, il se lancera dans une litanie de « si… » et de reproches : « Pourquoi est-ce que je fais toujours le mauvais choix ? Pourquoi me suis-je garé ici ? Pourquoi est-ce que j'habite ce quartier ? C'est sûrement ma faute si c'est arrivé. » Il se sentira confus, incertain, et incapable d'agir pour remédier à la situation.

Nous pourrions appeler cette histoire le conte de l'Avide, du Râleur, du Paresseux, de l'Anxieux et du Dubitatif. À certains moments, nous avons l'impression de lutter contre ces cinq obstacles à la fois. Pourtant, quels que soient ceux qui surgissent dans notre esprit, nous n'avons pas à nous en blâmer. La pratique de la pleine conscience nous apprend à les repérer et nous montre qu'il s'agit d'états passagers. Dès lors que nous reconnaissons leur existence, nous pouvons décider ou non d'agir sur eux, et de quelle manière.

En général, nous sommes tellement obnubilés par le contenu, le scénario qui entoure les obstacles survenant dans notre vie, que nous en oublions de prêter attention à l'état d'esprit ou à la sensation qu'il traduit. Par exemple, nous nous accrochons à l'objet de notre désir : « Je veux à tout prix cette voiture. Dois-je prendre cet habillage ou celui-là ? Et le système audio, qu'est-ce qu'il vaut ? Elle est chère, mais elle me plaît énormément. Comment puis-je me débrouiller pour les remboursements ? Il faut absolument que je l'achète ! » La pleine conscience consiste à prendre l'état d'esprit lui-même – ici, le désir – comme objet de méditation. Sentez-vous le besoin d'acquérir qui vous motive ? La vulnérabilité, le malaise, l'insécurité à la base de cette avidité ? Cette envie de vous accrocher à un objet ? Êtes-vous tout simplement capable d'entrer en contact avec ces émotions sans vous laisser emporter par l'histoire qui les accompagne ?

PRÉSENTATION DE LA PRATIQUE

Cette semaine, nous verrons comment rester en contact avec les émotions et les pensées, y compris les plus intenses et les plus éprouvantes, dans l'ouverture, le lâcher-prise et l'acceptation. Pour la plupart d'entre nous, cette attitude se situe aux antipodes de notre fonctionnement habituel, qui consiste à rejeter les émotions désagréables par peur ou par ennui, tout en essayant de prolonger au maximum les expériences plaisantes.

Nous poursuivrons également la pratique de la semaine dernière en distinguant l'expérience réelle présente des ajouts que nous lui greffons, comme la honte, les projections dans le futur ou la construction d'une image de soi globalement négative à partir d'une émotion passagère. Toutes ces réactions communes augmentent de leur propre poids le stress causé par les situations douloureuses. C'est exactement ce qu'a vécu mon ami dernièrement, après avoir perdu son emploi.

En soi, la situation était déjà difficile et source d'inquiétude, mais comme si cela ne suffisait pas, il a transformé cette conséquence d'une crise économique mondiale en preuve indubitable de son incapacité à réussir quoi que ce soit. Heureusement, la méditation lui a permis de prendre conscience de l'histoire qu'il se racontait à lui-même : « C'est ma faute si on m'a licencié ; tout est toujours ma faute. » Après avoir pris note de cette interprétation et l'avoir examinée, il a pu déceler les failles d'une logique qui, à première vue, lui paraissait solide comme le roc. Ce n'est qu'à partir de ce moment qu'il a retrouvé suffisamment confiance en lui pour chercher un nouveau travail. Dans notre pratique, nous essayons de repérer ces récits surajoutés et de les lâcher. Nous développons la pleine conscience afin de distinguer l'expérience vécue du scénario que nous échafaudons autour.

Dans la méditation en pleine conscience, nous observons nos ressentis avec intérêt, curiosité et compassion avant de les laisser s'éloigner sans battre notre coulpe. (« Comment puis-je éprouver ça ? Je suis quelqu'un d'horrible ! ») ni nous y accrocher (« Comment prolonger ce sentiment de calme ? »), sans nous interroger sur leur signification ni élaborer de plan d'action (même si l'un et l'autre sont possibles, une fois la session terminée). La méditation de pleine conscience n'empêche pas le surgissement d'émotions éprouvantes et ne prolonge pas les émotions agréables, mais elle nous aide à distinguer leur caractère passager et à accepter leur impermanence. Notre objectif n'est pas de les vaincre ou de nous y cramponner, mais de leur prêter une attention pleine et profonde.

Au début du travail sur les émotions, nous ne notons souvent que les plus évidentes d'entre elles, les plus visibles : la colère, le chagrin, la joie, la peur. Mais, au fil du temps, nous remarquons des variantes plus subtiles : l'impatience, l'engouement, l'indifférence, le regret, l'envie, la tendresse. Grâce aux quatre étapes que sont la reconnaissance, l'acceptation, l'exploration et la non-identification, nous pouvons faire l'expérience de ces émotions nuancées sans nous y noyer. La pratique de la pleine conscience élargit notre zone de confort, nous permettant ainsi de développer la capacité de rester proches de tout ce qui se présente.

MÉDITATION SUR LES ÉMOTIONS

Par cette méditation, nous cherchons à atteindre un état de conscience équilibré, doux et paisible, mais également alerte et éveillé, en lien avec tout ce qui se passe à l'intérieur de nous. Retrouvez la sensation que vous éprouvez en courant, en nageant, en dansant ou en émincçant des légumes pour confectionner un bon plat.

Installez-vous dans une posture de méditation confortable, assis ou allongé. Fermez les yeux ou, si vous préférez, posez le regard à quelques mètres devant vous au niveau du sol. Soyez conscient de votre corps. Si cela vous aide, procédez à un scan corporel, comme nous l'avons vu la semaine dernière. Restez à l'écoute des sons qui se présentent, puis portez votre attention sur la respiration. Vous pouvez également noter mentalement « entre, sort » ou « inspir, expir ».

Tout en suivant votre souffle, prenez conscience des émotions qui dominent en vous. Si l'une d'elles est assez puissante pour vous détourner de votre respiration, faites-en l'objet de la méditation. Identifiez-la en la nommant dans votre tête si vous en avez envie. Il est d'usage de l'étiqueter deux ou trois fois en fonction de sa force ou de sa durée : « joie, joie ; déception, déception ; ennui, ennui. » (Vous trouverez plus de détails sur les « étiquettes mentales » dans l'encart page 148). Essayez de localiser corporellement l'émotion en question : de quelles sensations physiques s'accompagne-t-elle ? De tressaillements dans votre estomac ou votre pouls qui s'accélère ? Vos paupières sont-elles lourdes, vos épaules nouées ? (Si aucune émotion n'est assez forte pour vous distraire, continuez à suivre votre respiration.)

Restez proche de l'émotion avec délicatesse et sensibilité. Il existe un moyen simple de vérifier si vous êtes détendu : écoutez la voix à « l'arrière-plan » de votre esprit. Si elle est dure ou tendue (« Jalousie, jalousie ! Encore ! »), essayez de nommer votre émotion avec plus de douceur. Une fois que vous avez localisé cette émotion – par exemple un nœud à l'estomac en rapport avec un sentiment d'angoisse –, vous pouvez également scanner le reste de votre corps à la recherche d'une autre zone de tension. Vos épaules se sont-elles contractées suite à votre prise de conscience ? Détendre en conscience cette tension réactionnelle vous aidera à observer plus calmement la sensation originelle : le nœud au creux de votre estomac. Celui-ci pourra alors se relâcher de son propre chef. Parfois, le simple fait d'observer suffit à dissiper le stress parce que nous nous contentons de regarder l'émotion au lieu d'y adhérer. Nous ne luttons pas contre l'expérience mais prêtons intérêt à toutes les émotions qui surgissent et s'effacent.

Si vous sentez que cette observation vous submerge, revenez à votre vieil ami le souffle. Faites-le chaque fois que vous éprouvez le besoin de vous stabiliser durant la méditation.

Si une douleur physique vous distrait, prenez note de l'émotion qu'elle génère. Un élancement douloureux peut s'accompagner d'un éclair d'impatience, d'irritation ou de panique. Contemplez l'émotion, nommez-la, puis laissez-la partir. Revenez au flux de votre respiration.

Si vous constatez que vous vous jugez (« Je suis débile de ressentir un truc pareil »), que vous vous adressez des reproches ou faites des projections dans le futur, rappelez-vous que tout ce qui se présente mérite d'être accueilli. Essayez autant que possible de lâcher ces réactions et revenez à l'expérience directe : « Qu'est-ce que je ressens en ce moment ? Quelle est la nature de cette émotion ? Où se situe-t-elle dans mon corps ? »

Reportez l'attention sur votre souffle. Puis, après quelques instants, mettez fin à la méditation et ouvrez les yeux.

Au cours de la journée, essayez de rester à l'écoute de votre paysage affectif et prenez note de la diversité de vos émotions.

MÉDITATION SUR LES ÉMOTIONS ÉPROUVANTES

Asseyez-vous confortablement ou allongez-vous, yeux clos ou ouverts. Placez votre attention sur la sensation du souffle, là où c'est le plus facile pour vous. Respirez normalement, naturellement. Si cela vous aide, nommez, à l'arrière-plan de votre esprit, ce qui se passe : « entre, sort » ou « inspir, expir ».

Après avoir suivi un moment le flux de votre respiration, concentrez-vous consciemment sur une émotion éprouvante ou désagréable ou une situation plus ou moins proche à l'origine d'une émotion intense – tristesse, peur, honte ou colère. Prenez un instant pour vous remémorer chaque détail. Ce souvenir vous procurera sans doute un certain malaise. Essayez malgré tout de rester au plus près de l'émotion en question. Chaque fois que vous en ressentez le besoin, détendez-vous en reportant votre attention sur la respiration.

Quelles sensations physiques accompagnent les émotions suscitées par ce scénario ? Pouvez-vous les localiser dans votre corps ? Quand vous observez les émotions qui surgissent, votre bouche s'assèche-t-elle ? Votre souffle devient-il superficiel ? Serrez-vous les dents ? Sentez-vous une boule se former dans votre gorge ? Quoi qu'il se passe dans votre corps, prenez-en note. Le fait de percevoir physiquement l'émotion (ce qui n'est pas toujours possible) vous aidera à vous échapper concrètement du scénario et à observer la nature changeante des affects.

Focalisez votre attention sur la zone où les sensations sont le plus intenses. Ne cherchez pas à y changer quoi que ce soit, essayez juste d'en prendre conscience. Une fois concentré sur vos sensations physiques, vous pouvez vous dire en silence : « C'est OK. Quoi qu'il se passe, c'est OK. Je peux ressentir ça sans le repousser ni me laisser engloutir. » Restez conscient de vos sensations corporelles et de la manière dont vous vous y reliez : en les acceptant, en leur permettant d'exister et en les accueillant avec douceur. Pendant que vous restez à proximité, ces sensations évoluent-elles ? Si oui, de quelle façon ?

N'oubliez pas que la plupart du temps plusieurs émotions se mêlent, à l'intérieur de notre ressenti global. Ainsi, le chagrin peut renfermer des phases de tristesse, de peur, d'impuissance, voire des instants de soulagement, d'anticipation ou de curiosité. Essayez de décomposer votre émotion. Repérez les divers éléments qui la composent. Des dimensions positives se mêlent-elles à votre sentiment négatif général ? Ou, à l'inverse, des dimensions négatives teintent-elles le positif ? En restant en lien avec ce que vous éprouvez et en en discernant les différents aspects, vous constaterez que ce qui vous apparaissait comme un bloc compact de souffrance est en fait une combinaison d'émotions en changement continuel. Une émotion se gère plus facilement à partir du moment où on parvient à la percevoir clairement en l'isolant des autres.

À PROPOS DES « ÉTIQUETTES MENTALES »

Le fait d'étiqueter brièvement à l'arrière-plan de notre esprit ce qui se passe sur l'instant présente un double intérêt. D'une part, ce constat crée une zone de conscience : un petit espace calme où nous ne sommes pas submergés par les pensées et les émotions, où nous pouvons les discerner et les nommer sans y réagir, avant de passer à autre chose. D'autre part, ces « étiquettes » nous donnent une sorte de feedback immédiat sur notre attitude. Nous voyons si nous nommons nos expériences avec ouverture et acceptation (« Eh oui, c'est ce qui se passe en ce moment ») ou irritation et ressentiment (« Oh non, pas encore l'envie ! »). Si nous reconnaissons la voix du jugement et de l'autocritique, nous avons le choix de la transformer et de nous parler d'une manière plus douce et plus neutre (« Tiens, il y a de l'envie »). Efforcez-vous d'être chaleureux et ouvert dans vos constats.

Ces étiquettes mentales ont une troisième fonction intéressante : à l'instar de nombreux aspects du processus de la méditation, elles nous rappellent de façon claire et précise que tout se transforme sans cesse. Au cours d'une session, beaucoup d'émotions et de pensées se présentent à vous, sont étiquetées puis s'évanouissent. Certaines sont très agréables, d'autres éprouvantes, d'autres encore neutres. Mais toujours, elles surgissent et disparaissent. Notre travail consiste simplement à constater leur présence sans les juger, à observer la vérité de cet instant précis, puis à respirer.

Au début de ma pratique, j'ai laissé cette méthode simple pour repérer l'inattention devenir elle-même source d'inattention. Je m'asseyais et je pensais : « Ce que je ressens, est-ce de la douleur ou du déplaisir ? On ne peut pas vraiment parler de torture, ce serait exagéré. D'angoisse, peut-être ? » Je me transformais en dictionnaire des synonymes, et perdais totalement contact avec mon expérience. J'ai vite compris que l'important n'est pas le terme employé. Les mots ne sont qu'un moyen rapide d'étiqueter ce qui se passe au moment présent, une formule pour ne pas se laisser emporter par un enchaînement de pensées. Nos constatations n'ont pas besoin d'être élaborées ; elles sont juste une manière de reconnaître paisiblement ce qui surgit : « Tiens, c'est ce qui se passe maintenant. Il y a de la tristesse, il y a des souvenirs. »

Comme beaucoup de mes étudiants me l'ont gentiment fait remarquer, ces constats sont une forme de pensée. « On est supposé essayer de lâcher les pensées pendant la méditation, non ? » m'a-t-on souvent rappelé. Effectivement, le fait de nommer ce qui se passe représente bien une pensée. Mais une pensée utile, puisqu'elle vise à soutenir notre vigilance en nous évitant de nous perdre dans le mental ou de nous laisser emporter par le train des pensées. Des constats attentifs nous ramènent au présent et à notre respiration.

Il n'est pas nécessaire de tout étiqueter sans cesse ; constater la présence d'une pensée ou d'un sentiment de manière régulière suffit. À certains moments, cependant, nommer ce qui se passe représente un bon moyen de se relier rapidement et avec lucidité à son vécu immédiat.

Il est possible que vous notiez une certaine réticence de votre part à affronter ces émotions éprouvantes et les sensations corporelles qui les accompagnent. Que vous vouliez les repousser ou en ayez honte. À moins que vous ne ressentiez, au contraire, une sorte de fascination à rejouer mentalement une dispute ou à revivre des sentiments de rage, d'impuissance ou d'humiliation.

Si les émotions éveillées par les pensées ou le scénario surgis dans votre esprit vous donnent envie de pleurer, ne vous en inquiétez pas, cela fait partie de l'expérience. Dans ce cas, prenez conscience de ce que ces larmes provoquent en vous : comment réagit votre corps, quelles nouvelles émotions accompagnent ces pleurs, que vous inspire le fait de pleurer ? Peut-être découvrirez-vous derrière votre tristesse du regret, de l'irritation, ou la peur que vos larmes ne s'arrêtent jamais.

Si vous vous sentez dépassé par l'émotion, concentrez-vous sur votre respiration. Cet ancrage corporel vous aidera à revenir au moment présent. Si des pensées telles que « Je resterai toujours dans cet état » ou « Si seulement j'étais plus fort/plus patient/plus intelligent/plus gentil, je ne me mettrais pas dans un état pareil » vous traversent, reprenez contact avec la vérité simple de l'instant : vous, assis, en train de respirer. Vous est-il possible de percevoir votre émotion comme un état temporaire sans vous identifier à celui-ci ?

Quand vous vous sentez prêt, ouvrez les yeux. Prenez une inspiration profonde et détendez-vous.

Si durant la journée une émotion éprouvante surgit, essayez de l'aborder de la même manière qu'au cours de cette pratique.

MÉDITATION SUR LES ÉMOTIONS POSITIVES

Si nous voulons trouver la résilience nécessaire pour affronter les difficultés de la vie – par exemple, un ami qu'on n'est pas en mesure d'aider ou une journée pleine d'imprévus incontrôlables –, il nous faut identifier et nourrir nos sentiments positifs et ne pas manquer de remarquer les expériences agréables.

Nous nous focalisons trop souvent sur les aspects déplaisants de notre personnalité ou de l'existence. Or il est indispensable de faire un effort conscient pour inclure le positif. Il ne s'agit pas de se raconter des histoires ni de nier les problèmes réels, simplement de prendre en compte des moments de la journée que nous n'aurions peut-être pas remarqués autrement. Nous pouvons accroître notre sentiment global de joie en pensant simplement à nous arrêter sur les instants de plaisir : une fleur dans une fissure du trottoir, un enfant qui voit la neige pour la première fois ou se blottit dans vos bras. Certes, cette capacité à voir le positif a besoin d'être un peu exercée, mais ce n'est pas un problème puisque ce genre d'entraînement fait justement partie de la méditation.

Asseyez-vous ou allongez-vous sur le sol dans une posture de détente. Vous pouvez fermer les yeux ou les garder ouverts.

À présent, rappelez-vous une expérience agréable récente s'accompagnant d'une émotion positive telle que du bonheur, de la joie, du réconfort, de la satisfaction ou de la gratitude. Il pourra s'agir d'un bon repas, d'une tasse de café ou d'un moment passé en compagnie de vos enfants. À moins qu'il ne s'agisse d'un aspect de votre existence qui vous inspire une gratitude particulière : une amie toujours prête à vous soutenir, un animal familier heureux de vous retrouver, un coucher de soleil magnifique, un instant de tranquillité... Si vous n'arrivez pas à trouver d'expérience positive, ayez simplement conscience du cadeau que vous vous faites en ce moment même par votre pratique.

Prenez le temps de savourer l'image, quelle qu'elle soit, qui vous vient à l'esprit au souvenir de ce vécu agréable. Dans quelles régions corporelles percevez-vous des sensations ? À quoi ressemblent-elles ? Comment évoluent-elles ? Concentrez-vous sur les zones où elles s'expriment avec le plus d'intensité. Soyez conscient de ces sensations et de la façon dont vous les accueillez, en y restant disponible, ouvert.

Maintenant, prenez note des émotions qui surgissent tandis que vous vous remémorez cette expérience positive. Il est possible que vous ressentiez de l'excitation, de l'espoir, de la peur ou que vous ayez envie de prolonger ce moment. Contentez-vous de regarder ces émotions apparaître et disparaître. Tous les affects évoluent et se transforment.

Peut-être avez-vous du mal à vous abandonner au bonheur de ce souvenir par peur d'un retour de bâton, ou parce que vous vous estimez indigne de cette joie et vous sentez coupable. Si c'est le cas, votre pratique consistera à vous autoriser à faire de la place à ces sentiments de joie et de plaisir, et à les inviter à entrer. Reconnaissez que ces émotions existent, et vivez-les pleinement.

Tout en vous remémorant votre expérience positive, restez conscient des pensées qui vous traversent. Vous sentez-vous plus libre, moins coincé dans de vieux schémas ? Ou pensez-vous de nouveau à quelque chose qui s'est mal passé aujourd'hui ou vous a déçu ? De telles pensées nous paraissent parfois plus confortables, tant elles nous sont familières. Si c'est le cas, prenez-en note.

Votre mental commence-t-il à gamberger sur votre expérience positive ou agréable ? Par exemple, vous dites-vous : « Je n'ai pas le droit de ressentir ce plaisir, pas tant que je ne me serai pas débarrassé de mes mauvaises habitudes » ? Ou : « Je dois absolument trouver un moyen de rester dans cet état d'esprit » ? Soyez vigilant à ce genre de pensées surajoutées. Identifiez-les, puis lâchez-les pour rester simplement au plus près de votre ressenti actuel. Revenez à l'expérience directe (« Quelles sont mes sensations corporelles ?

Qu'est-ce que j'éprouve en ce moment ? Qu'est-il en train de se passer ? ») sans vous préoccuper du contenu de ces commentaires additionnels.

Vous pouvez terminer la pratique en demeurant simplement assis à l'écoute de votre respiration. Suivez délicatement votre souffle, comme s'il s'agissait d'un objet précieux. Et quand vous vous sentez prêt, ouvrez les yeux.

Abordez tout ce que vous croiserez sur votre chemin aujourd'hui avec le même intérêt, la même curiosité et la même attention délicate. Remarquez les moments positifs ou agréables, y compris ceux qui peuvent paraître insignifiants.

MÉDITATION SUR LES PENSÉES

Asseyez-vous ou allongez-vous confortablement. Vous pouvez fermer les yeux ou les laisser ouverts. Tout en restant immobile, percevez l'espace qui vous entoure dans toutes les directions. Sentez le sol, la façon dont la terre vous soutient. Vous n'avez pas besoin de vous en préoccuper, juste vous laisser aller en confiance.

Portez votre attention sur la sensation de la respiration. Notez comment le souffle va et vient à son propre rythme, comment il emplit votre corps, puis le quitte, se connectant à tout ce qui vous entoure. Vous l'accueillez et le laissez partir. Tout le processus se déroule sans que vous ayez besoin de contrôler quoi que ce soit. Vous pouvez vous détendre et laisser faire.

Observez les pensées qui se présentent à votre conscience. Considérez-les comme des événements de l'esprit. Et si l'une d'entre elles se révèle suffisamment forte pour vous détourner de votre respiration, contentez-vous de l'étiqueter « pensée ». Vous pouvez noter à l'arrière-plan de votre esprit « pensée, pensée », sans vous soucier de son contenu. Qu'elle soit sublime ou atroce, ce n'est qu'une pensée.

Si possible, choisissez des termes plus précis, tels que « projet », « souvenir », « inquiétude », « anticipation ». Ne cherchez pas le mot exact, mais s'il vous vient naturellement, utilisez-le, et observez ce qui se passe au moment où vous nommez cette pensée. Ne vous jugez pas, ne vous perdez pas dans le contenu de la pensée ni dans des élaborations à son sujet. Reconnaissez-la simplement pour ce qu'elle est, laissez-la tranquillement se dissiper, puis reportez votre attention sur le souffle.

La plupart d'entre nous ont pour habitude soit de s'accrocher aux pensées et d'échafauder autour d'elles des scénarios, soit de les repousser et les combattre. Or, ici, nous restons stables, équilibrés, calmes. Nous constatons simplement « c'est une pensée, ça ne me résume pas ». Par nature, une pensée, si puissante soit-elle, est transitoire. Elle surgit et prend de l'ampleur suite à un conditionnement ou une habitude. Laissez-la tranquillement partir. Ramenez votre attention sur la respiration, une inspiration puis une expiration après l'autre.

Reprenez conscience de l'espace autour de vous, du contact de l'air sur votre peau. Sentez le sol qui vous supporte. Soyez sensible à la manière dont l'espace vous touche, dont la terre vous soutient. Vous pouvez les percevoir et vous y fier. Ouvrez les yeux et quittez la posture.

La pratique de la pleine conscience permet de regarder sa vie avec plus de discernement et d'honnêteté. Or, plus notre vision est claire – plus nous avons d'informations directes sur nous-mêmes et sur le monde –, plus nous sommes à même de prendre de bonnes décisions, et moins nous nous sentons fragmentés. Dans *Petits contes zen* [1], Jon J. Muth distille cette sagesse ancienne aux enfants : « Si vous regardez une flaque dont l'eau est calme, vous pouvez voir la lune s'y refléter parfaitement. Mais si l'eau est agitée, l'image de la lune est brouillée et il est alors très difficile de la voir sous son véritable aspect. Notre esprit fonctionne ainsi. S'il est agité, nous ne pouvons pas voir le monde tel qu'il est réellement. »

Peut-être remarquerez-vous que les pensées et les émotions qui surgissent durant votre pratique cette semaine appartiennent à des schémas récurrents, ou entendrez-vous ce que j'appelle de vieilles rengaines, la bande-son familière et banale mentionnée au chapitre 1. Il est très utile de prendre conscience de ces airs mille fois entendus, peut-être même de leur trouver un surnom humoristique : « Tiens, voici le morceau "Tout-le-monde-a-tort-sauf-moi" (ou "Tout-le-monde-a-raison-sauf-moi" !), ou "Le retour de la reine du cinéma", ou encore "J'ai tout raté", "Tu n'es pas de taille face à ça", "À quoi bon ?" ». En effet, dès lors que nous repérons ces rengaines, il devient plus facile de nous rappeler qu'à l'instar de toute pensée elles ne font que passer et ne constituent pas l'essence de

---

1. Éditions Circonflexe, 2005. (*Toutes les notes sont de la traductrice.*)

notre être. Nous n'avons pas les moyens d'empêcher leur visite, mais nous pouvons les laisser poursuivre leur chemin.

Parmi mes étudiants, un entrepreneur de cinquante-cinq ans qui venait de s'inscrire à une formation en horticulture s'est senti particulièrement réconforté à l'idée de donner un surnom aux schémas de comportement qu'il avait découverts au cours de sa pratique de la pleine conscience : « Vos remarques à propos des vieilles rengaines a profondément résonné en moi. Je me suis rendu compte que je repassais en boucle ce morceau que j'appelle "Un seul faux-pas". Lorsque, pendant la méditation, il a fallu penser à un moment difficile, j'ai tout de suite songé à la fin de ma qualification en horticulture. Je m'étais donné à fond pour faire tout ce qui était demandé : un grand répertoire des plantes et un compte-rendu détaillé de mon stage en tant que responsable des bénévoles dans un parc de la région. Tout en ne tarissant pas d'éloges sur mon travail, la prof a déclaré que j'aurais pu mieux organiser les équipes et m'a proposé quelques suggestions. Ç'a été terrible pour moi. Je me suis senti complètement nul. Un seul commentaire négatif a effacé d'un coup tous les compliments qu'elle m'avait faits. Au cours de la médi-tation axée sur une situation éprouvante, j'ai visualisé ce moment et j'ai découvert combien ce sentiment d'être fichu si je faisais "un seul faux-pas" m'était familier. Je n'ai toujours pas compris pourquoi je me repassais cette vieille rengaine, mais au moins, maintenant, j'en suis conscient. »

La méditation, c'est un peu comme monter dans un grenier et allumer la lumière. À la clarté de la lampe, tout se révèle : les trésors magnifiques que nous découvrons avec reconnaissance, les coins poussiéreux et oubliés qui nous font penser « Je ferais mieux de nettoyer tout ça », les vestiges malheureux dont nous pensions nous être débarrassés depuis longtemps… Quels qu'ils soient, nous acceptons leur existence avec une conscience aimante, accueillante et large.

Il n'est jamais trop tard pour allumer la lampe. Il est toujours possible de se débarrasser d'une habitude nuisible ou de clore le bec à une rengaine, si vieille soit-elle. L'ancienneté ne fait rien à l'affaire, ce qui compte c'est de changer de perspective. Dès que vous actionnez l'interrupteur, la lumière jaillit, que le grenier ait été plongé dans l'obscurité pendant dix minutes, dix ans ou dix siècles. Elle éclaire la pièce et chasse l'obscurité, vous permettant de voir des choses que vous ne distinguiez pas jusqu'alors. Il n'est jamais trop tard pour prendre le temps de regarder.

MIEUX VAUT NE RIEN FAIRE QUE PERDRE SON TEMPS

Quitte à vous accorder un moment, accordez-vous-en un peu plus.

Dans un récit de Zhuangzi, philosophe chinois du XIVe siècle, un homme qui ne supporte pas la vue de son ombre et de ses pas décide de les semer. Il s'élance donc à toute allure, mais chaque fois qu'il pose le pied par terre, un nouveau pas apparaît, et son ombre continue de le suivre sans la moindre difficulté. Il pense alors qu'il ne doit pas courir assez vite et accélère encore et encore, sans s'arrêter, jusqu'à ce qu'il tombe mort de fatigue. Ce qu'il n'a pas compris, c'est que s'il avait marché dans l'ombre, la sienne aurait disparu, et que s'il s'était simplement assis, immobile, il n'y aurait plus eu aucune traces de pas.

Pratiquer la pleine conscience, c'est faire ce choix de l'immobilité : avancer dans l'ombre paisible plutôt que fuir en courant les pensées et les émotions éprouvantes. Nous appelons parfois la méditation le « non-agir ». Au lieu de nous laisser emporter par nos réactions habituelles conditionnées, nous demeurons calmes et vigilants. Nous sommes totalement présents à l'expérience immédiate, nous la touchons en profondeur et la laissons nous toucher, et nous observons ce qui se passe de la manière le plus simple et le plus directe possible.

Un jour, un membre de l'Insight Meditation Society a lancé cette devise pleine d'humour : « Mieux vaut ne rien faire que perdre son temps. » J'adore cette formule. Ne rien faire, dans ce cas précis, signifie cesser de faire tout ce que nous faisons ordinairement – comme nous accrocher à l'expérience présente ou la fuir – afin de découvrir de nouvelles perspectives, de nouvelles idées ou intuitions, et de nouvelles sources d'énergie. S'asseoir paisiblement et contempler ce qui est en pleine conscience représente une façon très productive de ne « rien faire ». C'est ce qu'exprime Pablo Neruda dans son poème « Se taire » :

> *[…] Si nous n'avons pu être unanimes*
> *en engageant toutes nos vies*
> *peut-être ne rien faire pour une fois*
> *peut-être un grand silence pourra-t-il*
> *briser cette tristesse,*
> *de ne jamais se comprendre*

et nous menacer de mort,
peut-être que la terre nous apprendra
combien tout semblait mort
et que tout ensuite était vivant [1].

FAQ

(Foire aux questions)

Q Suivre sa respiration et y revenir chaque fois que quelque chose m'a distrait me semble une consigne claire. Mais quand une émotion surgit brusquement et devient l'objet de la méditation, faut-il l'analyser ?

R Si une émotion intense vous détourne de votre respiration, observez-la. Vouloir revenir à la respiration dans ces conditions demanderait trop d'efforts.

Prenons l'exemple de l'envie. Dès que ce sentiment apparaît, nous éprouvons de l'aversion pour lui, pour nous-mêmes, et cherchons à le repousser. Si bien que nous ne sommes plus en état d'apprendre. De la même manière, si nous nous laissons fasciner et élaborons des scénarios magnifiant toujours plus l'objet de cette envie tandis que nous sombrons dans une humiliation grandissante, aucun apprentissage n'est possible. La pleine conscience nous conduit dans une zone intermédiaire, un lieu où nous nous asseyons et nous demandons : « Qu'est-ce que l'envie ? » Question à

1. *Vaguedivague*, Gallimard, Paris, 1985.

160

laquelle nous n'essayons d'ailleurs pas de répondre. En réalité, cette interrogation invite à observer ce qui se produit dans notre corps et notre mental. Éprouver de l'envie et considérer l'effet produit. Examiner les pensées que cela génère. Cette façon de procéder explique pourquoi certaines techniques méditatives conseillent de nommer mentalement ce qui se passe. Cet « étiquetage » permet de le constater de manière plus concrète – « Tiens, c'est de l'envie » – sans tomber dans les extrêmes que représentent l'attachement ou l'aversion.

Chaque fois que quelque chose se présente à vous avec cette intensité, ne vous en détournez pas, mais faites-en l'objet de votre méditation. Cependant, je vous suggère de revenir de temps à autre à la respiration, ne serait-ce que l'espace d'un instant. L'une des fonctions de la méditation sur la respiration est de nous fournir une référence et un modèle : « Ah, d'accord, voilà ce que ça fait de rester en contact avec quelque chose – *inspiration, expiration* – sans s'y perdre ni le repousser. » Il nous est alors plus facile de reporter cette conscience juste sur l'envie ou tout autre sursaut émotionnel. C'est une très bonne chose d'aller et venir entre l'émotion et la respiration, de pouvoir recouvrer votre stabilité dès que vous en ressentez le besoin. Inutile d'analyser. Il suffit d'observer et de vivre l'expérience.

Q Durant mes sessions de méditation, j'essaie de vivre pleinement tout ce qui surgit. Mais comment puis-je savoir à quel moment je dois arrêter d'observer et de prendre conscience de mes émotions et de mes pensées pour revenir à la respiration ?

R Il est parfois difficile de définir le moment auquel lâcher prise. Vous devez faire confiance à votre intuition et ne pas chercher à méditer de façon parfaite ou totalement conforme. À partir du moment où vous cultivez la conscience, vous méditez correctement. En ce qui concerne les outils spécifiques permettant d'expérimenter plus pleinement ce qui est là, je trouve personnellement très utile d'étiqueter mentalement ce qui se passe. Par exemple, quand quelque chose surgit, comme une émotion intense ou un train de pensées, je le nomme tranquillement – « joie, joie » ou « pensée, pensée » – à l'arrière-plan de mon esprit, de manière à garder mon attention dirigée sur l'expérience immédiate. En revanche, si votre intérêt faiblit, ou si vous sentez s'installer un déséquilibre entre pensée, émotion et sensation parce que l'objet de votre observation vous perturbe ou vous fascine trop, cela veut dire qu'il est temps de lâcher et de revenir à la respiration.

Q Pendant la pratique, je sens remonter de vieux sentiments de peur et de doutes sur moi-même. J'ai beau les accueillir et les regarder en face, j'en perçois toujours les effets : je continue à me sentir déprimée et à manquer de confiance en moi. Quelle est la meilleure manière d'affronter cela ?

R Ce n'est sans doute pas ce que vous éprouvez sur le moment, mais le fait que votre peur et vos doutes sur vous-même ressurgissent est une bonne chose. C'est l'occasion d'apprendre à vous y relier différemment, à les observer avec une curiosité empreinte de compassion sans vous identifier à eux.

Accueillir ces émotions ne signifie pas simplement attendre le bon moment pour vous en débarrasser ou garder cela dans un coin en espérant trouver un moyen de leur échapper. Moins vous adhérerez ou vous identifierez à ces sentiments – « C'est bien moi, ça. Tous les élans positifs que j'ai eus aujourd'hui ne comptent pas. Décidément, je suis toujours dans le doute et dans la peur » –, plus ils auront de chances de se dissiper. En réalité, tout repose sur votre rapport à l'expérience, la manière dont vous abordez ces émotions.

Dans les moments difficiles, nous développons un ensemble de réactions très complexes face à nos pensées ou nos émotions : nous n'arrivons pas à croire que nous en sommes encore la proie, alors que nous pensions nous en être débarrassés depuis très longtemps, et nous n'avons aucune idée de ce que nous devons faire. Dans ce genre de situation, mon collègue Joseph Goldstein propose une astuce : imaginez que les pensées qui surgissent dans votre esprit soient celles de votre voisin. Le résultat est assez intéressant. Notre attitude change totalement : « Pauvre vieux ! nous disons-nous. Ça ne doit vraiment pas être facile à vivre. Je te souhaite d'être heureux. »

La question est donc : comment lâcher votre attachement et cesser de vous identifier à l'émotion ? Il est fort probable que celle-ci se représente à vous, encore et encore – ce genre de chose est généralement très profondément enraciné. Mais peu importe le nombre de fois où elle reviendra, car vous avez les moyens de la gérer avec doigté.

Q La méditation peut-elle aider à vaincre la dépression ?

R Il existe de nombreuses causes à la dépression. Mais, même s'il est important de rechercher une possible origine biochimique et de se faire aider psychologiquement, le rôle de la méditation n'est pas à négliger.

Dans le cadre d'une importante étude menée à l'université d'Oxford sous la direction de John D. Teasdale, cofondateur de la thérapie cognitive basée sur la pleine conscience (MBCT – *Mindfulness-Based Cognitive Therapy*), un groupe de personnes victimes de plusieurs rechutes dépressives a participé à huit semaines de formation à la pleine conscience, tandis qu'un groupe-témoin répondant aux mêmes critères suivait une thérapie cognitive classique. Seuls trente-sept pour cent des membres du groupe traité par la MBCT – thérapie qui apprend aux patients à observer leurs pensées sans jugement comme de simples événements de l'esprit – ont subi une rechute, contre soixante-six pour cent pour le groupe-témoin.

De nombreux pratiquants affirment avoir tiré profit des exercices leur permettant de voir que plusieurs éléments se cachaient derrière leur dépression, parmi lesquels de la colère, un sentiment de perte, et de la culpabilité. Même si l'identification de ces composants se révèle parfois douloureuse, il est souvent plus facile de faire face à la dépression en se rendant compte qu'elle n'est pas un bloc compact écrasant et immuable, mais une succession d'états mentaux changeants. Par ailleurs, la compassion développée dans la pratique méditative permet d'appréhender tout ce qu'on découvre en soi, y compris les aspects les plus douloureux, avec une bienveillance accrue. Nous aborderons plus en détail la compassion envers soi-même en Semaine 4. Si votre dépression est très profonde ou se prolonge, je vous encourage fortement à travailler avec un instructeur de méditation qualifié et à vous faire aider par un professionnel de santé.

Q Parfois, les consignes se contredisent. En général, il est conseillé de rester simplement en contact avec les émotions qui surgissent, quelles qu'elles soient, mais j'ai également lu qu'à certains moments il fallait agir sur ces émotions en marchant dans la nature, par des exercices de relaxation ou d'autres techniques. Je me sens un peu perdue.

R La première approche de la pleine conscience consiste à prêter attention à ce qui se passe et à transformer notre rapport à l'expérience afin de ne pas nous perdre dans nos pensées ou nos émotions sans pour autant les rejeter. La pleine conscience est donc par nature équilibrée. Mais il arrive que cet état de pleine conscience soit difficile à atteindre ou trop intermittent. On peut se sentir épuisé, ou simplement ne pas réussir à retrouver la stabilité malgré ses efforts pour se focaliser sur la respiration ou étiqueter mentalement ce qui surgit dans l'instant. C'est pourquoi il existe diverses approches destinées à nous aider à retrouver l'équilibre, et avec lui l'état de pleine conscience. Rien n'empêche d'explorer ces méthodes au lieu de suivre la pratique traditionnelle. Parfois, les gens se disent : « Zut, j'ai tout fichu en l'air, je n'arrive pas à faire comme il faut. » Sauf qu'il n'y a pas de règle. Levez-vous et allez vous promener, sortez dans la nature, étirez-vous ou faites ce que vous voulez à partir du moment où cette activité vous apaise suffisamment pour vous permettre d'accéder de nouveau à un lieu où vous pourrez vous relier autrement à l'expérience immédiate.

Q J'ai beau essayer, je continue à être persuadé au fond de moi que rien ne s'arrangera jamais. Du coup, soit je laisse tomber et je somnole pendant la méditation, soit je m'énerve tellement que j'ai simplement envie de sortir en courant. Y a-t-il un moyen de méditer sans aggraver les choses ?

R Vous avez déjà repéré votre pensée addition-
nelle : vous avez une idée négative, vous la
projetez dans le futur, vous vous jugez, et vous
éprouvez de la honte ou de la frayeur. Il s'agit là
d'un constat particulièrement lucide. Plus vous
serez conscient de votre attitude, plus vous
comprendrez que cette idée négative est une
construction de l'esprit, et qu'elle est déjà en voie
de changement – n'étant ni fixe ni permanente. Le
fait d'observer ce processus à l'œuvre dans votre
pratique, même s'il se traduit par un ressenti désagréable, est au final très libérateur. Pour l'instant, je
vous conseillerai de préférer la marche en pleine
conscience à l'assise, dans la mesure où ce que vous
décrivez ressemble à un état d'énergie faible.
Marcher vous aidera à réveiller et à canaliser votre
énergie. Mais, même si vous choisissez de vous
asseoir, l'examen de votre état « tourmenté » rani-
mera votre énergie. Attention, « examiner » ne
signifie pas se demander : « D'où ça vient ? Est-ce
que c'est biologique ? » mais : « Quel est ce sentiment ? Que se passe-t-il ? » La simple observation,
au cours de la session, de l'émotion en train de se
déployer représente le premier pas pour la
traverser. Pour reprendre les mots de Robert Frost,
la pleine conscience nous apprend que « le meilleur moyen d'en finir est d'y "aller carrément" [1] ».
Essayez d'élargir ce moment de conscience à
tout ce qui se présente, même si vous n'avez aucune
idée de l'endroit où cela vous mène. Bien que

---

1. Extrait du poème « La domestique des domestiques », *Robert Frost*, par
Roger Asselineau, Seghers, coll. « Poètes d'aujourd'hui », Paris, 1964.

l'expérience puisse vous paraître très troublante sur le moment, vous devez garder confiance dans le fait que cette observation empreinte de compassion vous ouvrira les portes d'une compréhension nouvelle.

Q Comment faire des projets pour l'avenir si je reste dans le présent ? Si j'accepte toutes les pensées et les émotions qui surgissent, est-ce que je ne risque pas de devenir totalement passif ?

R Certaines personnes craignent que la pratique de la méditation et le développement de leur capacité de pleine conscience rendent leur existence morne et sans saveur. Elles pensent que la pleine conscience incite à regarder couler la vie au lieu de s'y impliquer et de la vivre activement.

Mais c'est l'inverse qui se produit. La pleine conscience nous pousse à nous rapprocher de la nature intrinsèque de chaque instant, de chaque expérience – de sa particularité et du sentiment qu'elle éveille telle quelle, sans y surajouter de pensée. Cela ne signifie pas que nous ne sommes plus capables de distinguer ce qui nous plaît ou nous déplaît. Simplement, nous comprenons peu à peu à quel point notre vision du monde influence notre façon d'aborder les choses, et qu'une même expérience serait peut-être vécue différemment par un autre. Nous continuons à réagir à ce qui se présente, mais avec conscience, en sachant ce que nous faisons et pourquoi nous le faisons.

Par ailleurs, la pleine conscience n'empêche pas de se souvenir avec plaisir des bons moments ni de poursuivre des objectifs. Comme l'explique si justement Thich Nhat Hanh, « Vivre dans l'ici et maintenant ne signifie pas que vous ne pensez jamais au passé ou ne faites pas de projets sérieux. Ce qui importe, c'est de ne pas se laisser emporter par des regrets du passé ou des craintes de l'avenir. Si vous êtes solidement ancré dans l'instant présent, le passé peut être un objet d'investigation, l'objet de votre pleine conscience et de votre concentration. Vous pouvez accéder à une meilleure compréhension en examinant le passé. Mais vous devez rester ancré dans l'instant présent [1] ».

Un contact direct et intime avec nos pensées, nos émotions et nos expériences nous permet d'effectuer des choix en toute connaissance de cause, et donc d'agir au mieux pour l'avenir au lieu de suivre aveuglément de vieilles habitudes jamais remises en question. Accepter consciemment une émotion négative comme la colère ou l'envie ne signifie pas s'y complaire ou s'y abandonner de façon irresponsable. Au contraire. Pour établir un rapport sain avec une pensée ou une émotion, nous devons auparavant la reconnaître comme partie intégrante de notre répertoire humain, l'observer, et constater qu'elle ne nous résume pas et finit toujours par se dissiper.

1. *L'Art du pouvoir*, Guy Trédaniel éditeur, 2007.

POINTS CLÉS

Cette semaine, nous avons travaillé sur l'acceptation des émotions éprouvantes (colère, peur, désespoir, envie, ressentiment, frustration) et des pensées désagréables (« Je les hais tous ! » ; « Si seulement je pouvais fiche le camp d'ici ! » ; « J'aimerais juste qu'il disparaisse ! » ; « Pourquoi est-ce à moi que ça arrive et pas à elle ? »). Nous avons reconnu leur richesse et leur appartenance indéniable à l'expérience humaine, ainsi que notre incapacité à les contrôler, à l'instar de toutes les autres pensées et émotions. Nous nous sommes rappelé qu'une pensée n'est pas un acte. Nous avons continué à observer les réactions automatiques et les jugements inconscients qui nous coupent de l'expérience directe et qui, s'ils ne sont pas identifiés, nous dirigent sans notre accord. En apprenant à rester proches de nos émotions au cours de la pratique, nous deviendrons peu à peu capables de nous y relier plus sainement dans notre quotidien.

Comme le garçon qui s'est retenu de frapper son camarade au visage, nous avons appris à mettre de la distance entre nos émotions et les réponses conditionnées qu'elles suscitent. Le simple fait d'être capable de rester dans l'instant présent constitue une belle victoire. Nous ne tirerons pas grand-chose de l'expérience immédiate si nous nous en détournons à toute allure ou la laissons nous submerger ou nous définir. En revanche, en modifiant notre rapport à ce que nous vivons, nous changerons notre vision de nous-mêmes et, au final, des autres.

À ce sujet, j'aimerais vous citer le témoignage de trois étudiantes qui ont transformé leur rapport à une expérience donnée. À leur manière, elles ont toutes trois réussi à appliquer dans la vie courante les aptitudes qu'elles avaient développées dans leur pratique de la méditation, à savoir, rester au plus près de ses émotions, être dans l'instant présent, et reconnaître ses pensées additionnelles. En résumé, elles sont parvenues à prendre du recul et à se déconditionner de leurs réactions acquises.

La première est orthophoniste. Elle pratiquait depuis peu de temps quand elle a constaté à sa propre surprise qu'elle aggravait encore des situations déjà difficiles en y greffant des a priori qu'elle n'avait jamais remis en cause : « Ce jour-là, j'avais un entretien pour un poste génial dans un quartier très scolarisé. Exactement le boulot dont je rêvais. Le matin, je me suis assise et j'ai commencé à suivre ma respiration avant de m'apercevoir que la pensée qui ne cessait de revenir était "Je ne l'obtiendrai pas. Je ne l'obtiendrai pas". C'est incroyable, le nombre de fois où je me suis répété cette phrase au cours de la session. À tel point que je me demande comment j'ai réussi à respirer.

» Une fois mes vingt minutes de méditation terminées, j'ai eu une petite conversation avec moi-même. J'ai examiné les arguments susceptibles d'ébranler cette idée selon laquelle ce poste n'était pas pour moi : "Tu travailles depuis que tu as quitté la fac, c'est bien la preuve que tu es capable de décrocher un job. Ouais, mais pas un super-boulot comme celui-là. D'un autre côté, tes boulots précédents n'étaient pas si nuls. De toute façon, il faudra bien quelqu'un pour celui-là ; alors, pourquoi pas toi ?" C'est alors que je me suis entendue me dire : "Dis donc, tu as une très haute opinion de toi-même, pas vrai ?" de la même voix que celle de ma mère. La leçon que je tire de cette histoire, c'est que je ne me serais jamais rendu compte que je me tirais une balle dans le pied en minant ma confiance en moi – avec la voix de ma mère ! – si je ne m'étais pas assise dans le calme pour respirer et observer paisiblement mes pensées. Peut-être qu'un jour j'arrêterai d'être la reine du scénario catastrophe. Cette prise de conscience a été un bon début. »

La deuxième étudiante s'est servie de sa pratique pour transformer un scénario négatif : « La société d'électronique pour laquelle je travaille avait chargé mon équipe de la conception d'une grande campagne publicitaire. Finalement, j'ai remis nos propositions à ma nouvelle chef dans un long rapport préliminaire très compliqué, qu'elle m'a retourné avec d'importantes révisions. J'étais furieuse. J'ai repensé à tous les chefs irréalistes que j'avais connus, à tous les efforts que j'avais fournis, puis j'ai commencé à imaginer que celle-là n'aimerait rien de ce que je lui présenterais, ou que nous ne tomberions jamais d'accord et qu'elle me virerait, et alors où irais-je ? Finalement, je me suis dit que je ferais mieux d'apporter les changements qu'elle réclamait et de lui retourner le dossier. Sauf qu'elle me l'a encore rendu en exigeant de nouvelles modifications. Cette fois, j'étais vraiment folle de rage, et j'ai passé encore plus de temps à ruminer mes griefs passés et à m'imaginer un avenir noir. Je fulminais contre cette situation injuste et insupportable. Puis, tout à coup, j'ai pensé : "Attends, ce n'est qu'une hypothèse. Je peux vérifier si elle est vraie ou non, c'est pour ça que je pratique. Est-ce vraiment insupportable ? Est-ce réellement injuste ? Si je mets de côté mes craintes concernant l'avenir et cette histoire avec une autre chef dans des circonstances totalement différentes, le présent est-il toujours aussi inquiétant ?"

Alors, j'ai décidé de me concentrer sur ma respiration, comme j'avais appris à le faire. De lâcher ma colère et d'être simplement là avec ce stupide rapport. Je me suis dit "Si tu mets de côté ta fierté bafouée et tes inquiétudes concernant l'opinion de ta chef, est-ce que tu souffres en ce moment ?" Et j'ai bien dû reconnaître que non, je ne souffrais pas. "Les commentaires de ta chef t'ont-ils aidée ?" La réponse était oui. "Ce projet est-il intéressant ?" Encore oui. Je me suis aperçue que, si je restais dans le présent en me focalisant uniquement sur le travail – et en lâchant mes réactions à tout le reste –, le défi était très intéressant. Je me suis calmée et me suis plongée dans le travail. En fait, ma chef m'a retourné le rapport une troisième fois, mais cela ne m'a pas dérangée. Par la suite, elle m'a déclaré avoir été impressionnée par le produit fini, et plus encore par mon attitude. »

Récemment, une troisième femme m'a raconté une histoire illustrant, selon ses propres mots, le « pouvoir de la méditation par procuration ». Ce récit concerne deux expériences très fréquentes : être en proie à l'ennui et lui greffer la perspective d'un avenir noir. « Une amie s'est inscrite dans un groupe Weight Watchers et m'a dit qu'elle avait beaucoup de mal. Je la comprenais d'autant mieux que j'en suis passée par là. Mais alors, elle a ajouté un truc qui a vraiment retenu mon attention, un détail que je n'aurais pas remarqué avant de pratiquer la méditation. Elle trouvait le programme assommant, et a ajouté : "Si c'est déjà barbant au bout de deux semaines, imagine ce que ça sera dans deux mois !" "Cas d'école", ai-je pensé. Sur quoi, je lui ai demandé : "Pourquoi t'inquiètes-tu de savoir comment ce sera dans deux mois ? Pour l'instant, contente-toi de penser au présent, à aujourd'hui. En fait, juste à cet après-midi. Dans deux mois, tu seras si contente de ta nouvelle silhouette que tu oublieras ce que tu as dans ton assiette. Ou alors tu auras laissé tomber et autre chose que tu ne peux pas prévoir ce sera produit. Si tu sens que tu en as assez, apprends à connaître ta lassitude. Deviens amie avec elle ! Examine-la vraiment. Vois comment elle s'exprime dans ton corps." À ce moment-là, mon amie avait l'air, disons, si peu réceptive que j'ai ajouté : "Et gave-toi de myrtilles. Elles sont délicieuses, et une pleine tasse ne vaut qu'un seul point Weight Watchers !" J'espère qu'elle réfléchira à tout ça. J'aborderai de nouveau le sujet dans quelques semaines. En tout cas, je suis contente de la façon dont ces concepts nés de la méditation semblent avoir fait leur chemin en moi. »

Même des sessions de méditation brèves suffisent pour se rendre compte que les pensées, les émotions et les sensations corporelles, si intenses soient-elles, apparaissent, disparaissent et se transforment comme dans un kaléidoscope. Accepter, même l'espace d'un instant, l'impermanence et le changement continuel, c'est reconnaître de façon presque insignifiante une grande vérité. Apprendre à se sentir à l'aise avec ses pensées et ses émotions en perpétuel changement représente un premier pas vers un rapport plus simple à la vie telle qu'elle est, et non telle qu'on aimerait qu'elle soit. La pleine conscience permet de se familiariser avec l'idée que rien ne dure – ni la joie, ni le chagrin, ni l'ennui.

En outre, le fait de savoir que nos pensées et nos émotions ne cessent de se modifier nous empêche de tirer des conclusions fausses et définitives, du genre « Si j'éprouve de la jalousie, ça veut dire que je suis méchant et mauvais mari. » Cela nous permet de comprendre que cette pensée ne nous résume pas mais fait partie des milliers d'autres qui nous viennent à l'esprit. Dès lors que nous prenons conscience d'une pensée, nous ne la rejetons pas et nous nous en approchons sans pour autant la laisser nous emporter. Nous décidons ou non d'agir, et de quelle manière, et distinguons plus facilement les actions qui mènent à la joie ou à la souffrance. La méditation nous aide à nous regarder et à nous accepter tels que nous sommes dans l'instant présent : colériques ou doux, lâches ou courageux, honteux ou fiers, confus ou assurés. Elle nous permet de comprendre que ce que nous éprouvons en ce moment n'est pas ce que nous ressentirons dans une heure, demain ou un autre jour, et que nous ne nous résumons pas à ce sentiment.

Semaine 4

L'AMOUR BIENVEILLANT
Cultiver la compassion et le bonheur véritable

Le jour où j'ai croisé Rachel, une amie et l'une de mes étudiantes en méditation, j'ai été surprise de l'enthousiasme de son accueil. « J'aime le type qui tient la blanchisserie à côté de chez moi », m'a-t-elle annoncé.

Notre dernière rencontre avait eu lieu six mois plus tôt, lors d'une retraite que je conduisais sur le pouvoir de l'amour bienveillant. En voyant le plaisir que me procurait cette nouvelle (d'autant que je connaissais son passé sentimental), elle s'est esclaffée. « Non, je ne l'aime pas de cette façon-là, m'a-t-elle alors précisé. Le responsable de la blanchisserie fait partie des personnes auxquelles j'ai décidé d'adresser mes méditations sur l'amour bienveillant. »

Dans le cadre de cette pratique, j'avais demandé aux participants de choisir dans leur entourage une personne pour qui ils n'éprouvaient pas de sentiment particulier, voire qu'ils connaissaient à peine, et de lui prêter attention en la visualisant et en lui souhaitant du bien. « Désormais, m'a expliqué Rachel, dans chacune de mes sessions quotidiennes j'ouvre mon cœur à cet homme et lui souhaite consciemment du bien. Et je me suis rendu compte que j'étais contente d'aller au pressing et de le voir. Il compte vraiment pour moi. »

Même si cet homme est sans doute un très bon professionnel, ce n'est pas pour ses qualités de blanchisseur que Rachel s'est soudain sentie connectée à lui par la gratitude. Elle ne lui doit rien et ignore tout de ses éventuels chagrins ou difficultés. Si leur relation s'est transformée, c'est uniquement parce qu'elle l'a englobé quotidiennement dans son champ d'attention au lieu de passer sans le voir.

J'entends très souvent des témoignages similaires de la part des personnes pratiquant la méditation sur la bienveillance – une méditation qui consiste à prêter attention à soi-même et aux autres avec affection et sollicitude. Durant ce type de méditation, on focalise tout d'abord cette attention chaleureuse sur soi, puis sur une personne proche, et enfin sur quelqu'un que l'on connaît à peine, comme l'employé du pressing où va Rachel. Si j'en crois mes étudiants, cette méditation leur procure un fort sentiment de connexion non seulement avec des gens dont ils avaient à peine remarqué l'existence jusqu'alors (j'ai vu le visage d'une femme s'éclairer tandis qu'elle discutait avec le caissier de sa banque, un quasi-inconnu devenu le destinataire de ses vœux bienveillants), mais aussi avec des connaissances qu'ils avaient rejetées, critiquées, ou dont ils s'étaient éloignées. « J'ai commencé à pratiquer la méditation sur la bienveillance et à souhaiter tout le bien possible à un collègue avec qui j'avais des relations difficiles, m'a un jour confié un étudiant. J'étais très très sceptique. Le collègue n'est pas devenu plus agréable, mais désormais il ne m'exaspère plus et j'éprouve plus de compassion

177

pour lui. J'ai compris peu à peu que lui aussi avait ses problèmes, comme nous tous. »

On décrit parfois l'amour bienveillant comme un sentiment d'amitié à l'égard de soi-même et de quelques proches qui s'élargirait jusqu'à englober tous les autres. Cela ne signifie pas qu'on apprécie ni qu'on approuve tout le monde, mais que l'on sent au fond de soi les liens inextricables qui nous unissent. L'amour bienveillant est une faculté du cœur qui rend hommage à ces liens. Au moment où nous le pratiquons, nous reconnaissons que nous partageons tous le même désir d'être heureux et la même vulnérabilité au changement et à la souffrance.

Une réplique du film *Coup de foudre à Rhode Island*, dans lequel Steve Carell interprète un père célibataire, résume assez bien la nature de cette forme d'amour. À un moment, l'un des personnages déclare d'une voix venant du fond du cœur : « L'amour n'est pas un sentiment, c'est une aptitude. » Je dois avouer avoir poussé une exclamation dans la salle obscure en entendant cette phrase.

Car l'amour bienveillant est véritablement une aptitude. Les scientifiques l'ont d'ailleurs vérifié en montrant qu'on pouvait le développer. Être bienveillant, c'est oser prendre quelques risques en toute conscience : c'est poser un regard empli de bienveillance sur soi-même et sur les autres au lieu de chercher ce qui cloche chez soi ou chez eux. C'est englober dans son champ d'attention des personnes qu'on ne remarquerait pas en temps normal. C'est éprouver une affection inconditionnelle pour soi-même au lieu de se dire : « Je m'aimerai le jour où j'arrêterai de faire des erreurs. » L'amour bienveillant, c'est aussi être capable de focaliser son attention sur les autres et les écouter vraiment, y compris ceux que nous ne voyions plus sous prétexte qu'ils n'en valaient pas la peine. Enfin, c'est pouvoir percevoir l'humanité de chaque individu, que nous le connaissions personnellement ou non, et la souffrance chez ceux qui nous déplaisent.

L'amour bienveillant se distingue de la passion ou de l'amour romantique et ne ressemble en rien au sentimentalisme. Comme je l'ai précisé, il n'est pas nécessaire d'apprécier ni d'approuver ceux à qui nous adressons cet amour. Veiller à rester ouvert aux autres et leur offrir de la sollicitude engendre des liens puissants qui remettent en cause l'idée d'un monde divisé entre « eux » et « nous » et invite à considérer chacun comme faisant partie du « nous ».

À titre d'illustration, voici un exemple de ce fonctionnement à petite échelle : plusieurs artistes m'ont confié que, lorsqu'ils avaient le trac avant un spectacle, ils méditaient brièvement sur l'amour bienveillant. Debout devant le public, juste avant de jouer une pièce, d'entamer un morceau de musique ou de réciter un poème, ils souhaitent silencieusement du bien à toutes les personnes présentes dans la salle. « Quand je fais ça, m'a précisé un chanteur, je ne vois plus le public comme un groupe de gens hostiles prêts à me juger. Mon sentiment devient : "C'est bon, on est là tous ensemble." »

Parfois, l'amour bienveillant prend la forme de la compassion, cet élan du cœur face au chagrin et à la souffrance – les nôtres ou ceux d'autrui. La compassion combat notre tendance à nous isoler quand nous sommes dans la peine ou à fuir ceux qui le sont par crainte de ne pas savoir quoi faire. Un après-midi, alors qu'elle me faisait visiter un bâtiment de l'hôpital militaire Walter-Reed où je m'apprêtais à conduire une

session, l'infirmière qui me servait de guide m'a confié :
« Vous savez, les infirmières qui se laissent submerger
par la souffrance des patients ne peuvent pas tenir ici.
Ne restent que celles qui arrivent à se connecter aux
facultés de résilience de l'esprit humain. » Pour ces
femmes, éprouver de la compassion pour les malades ne
signifie pas être bouleversées par leurs souffrances au
point de ne plus pouvoir leur venir en aide. C'est au
contraire en puisant dans leurs propres capacités
de résilience et dans celles de leurs patients qu'elles
trouvent la force d'agir.

En d'autres occasions, l'amour bienveillant s'exprime
sous la forme d'une joie partagée. C'est la faculté de se
réjouir de la chance et du bonheur d'autrui. Quand il se
passe quelque chose de positif dans notre vie et que
notre entourage s'en réjouit, cette réaction est perçue
comme un énorme cadeau. Certaines personnes, cependant, ont parfois plus de mal à se réjouir de nos succès.
Même s'ils sourient, nous sentons qu'ils seraient plus
heureux si nous l'étions moins. La capacité à partager la
joie d'autrui nous aide à ignorer cette voix intérieure qui
s'élève parfois au moment où nous apprenons le succès
d'un ami, nous murmurant : « Comme je me sentirais
mieux si les choses allaient un peu moins bien pour lui
en ce moment ! »

En nous permettant de nous sentir connectés aux
autres, la méditation de l'amour bienveillant développe
notre aptitude à partager leur joie. Lorsque nous ne
nous sentons plus menacés ou diminués par la réussite
d'autrui, nous comprenons que celle-ci ne nous enlève
rien. En réalité, elle augmente nos propres chances
d'être heureux. Comme le souligne le dalaï-lama, étant
donné le nombre d'habitants de la planète, se réjouir du

bonheur des autres est d'autant plus sensé que cela multiplie par six milliards nos chances d'être heureux. Ce qui représente un très bon retour sur investissement.

Robert Thurman, professeur d'études bouddhistes à l'université Columbia, recourt souvent à un scénario aussi évocateur qu'amusant pour illustrer ce que serait une communauté vivant dans la compassion et la bienveillance aimante : « Imaginez que vous êtes dans le métro et que des extraterrestres arrivent et vous enferment dans la voiture de manière à ce que vous restiez tous ensemble… pour l'éternité. » Que ferions-nous dans ce cas ? Si quelqu'un avait faim, nous lui donnerions à manger ; si tel autre avait peur, nous le réconforterions. Il est probable que nous n'apprécions pas et ne partagions pas les opinions de toutes les personnes présentes dans le wagon, mais, puisque nous devrons rester ensemble pour l'éternité, il faudra bien nous entendre, prendre soin les uns des autres et reconnaître que nos existences sont liées. La planète Terre ne ressemble-t-elle pas à ce métro ? Nous sommes ensemble pour toujours ; nos vies sont interdépendantes.

Cette semaine, nous pratiquerons des méditations visant à accroître notre amour bienveillant, notre compassion et notre faculté à partager la joie de tous les êtres présents dans ce métro, y compris nous-même.

Une façon de nourrir l'amour bienveillant consiste à chercher ce qu'il y a de bon en chacun. Cela ne veut pas dire qu'on ne remarque pas le mauvais ni qu'on excuse les comportements malsains ou dangereux. Mais se fixer uniquement sur ce qui cloche chez quelqu'un nous coupe automatiquement de lui. Peut-être pouvons-nous discerner un tout petit peu de bon chez les personnes qui nous déplaisent. Et si nous nous focalisons sur cette parcelle lumineuse qui surgit durant nos échanges avec elles, nous aurons un moins grand pas à faire pour franchir la séparation « nous contre eux ».

J'en ai fait personnellement l'expérience au début de ma pratique de l'amour bienveillant. À cette époque, je me trouvais en Birmanie, et mon instructeur m'a déclaré : « Je veux que tu retournes dans ta chambre et penses à des personnes proches en voyant ce qu'il y a de bon en elles. Puis tu penseras à des gens que tu connais à peine, et à d'autres encore avec qui tu as des rapports difficiles, toujours en voyant ce qu'il y a de bon en eux. » Sur le moment, je me suis dit « Pas question ! Chercher ce qu'il y a de bien chez tout le monde, c'est un truc idiot et mièvre. D'ailleurs, je déteste ceux qui font ça ! » Mais au sein d'un monastère birman traditionnel comme celui-ci, quand un enseignant vous demande de faire quelque chose, il n'est pas question de répondre « Je n'ai pas envie. » Alors, je l'ai fait. Et l'amour bienveillant a fonctionné exactement comme prévu. En repensant à un homme dont je trouvais généralement le comportement agaçant et dénué de générosité, je me suis rappelé l'avoir vu un jour prendre soin d'une amie en grande souffrance physique avec beaucoup de tact et sans trace de pitié ni de condescendance. « Tiens, tiens, ai-je alors pensé, voilà qui complique les choses. Difficile à présent de le considérer comme un être totalement et *uniquement* mauvais. »

Cela compliquait les choses dans le bon sens : je n'ai pas nié la difficulté ni prétendu que mon opinion antérieure avait entièrement disparu, mais j'ai arrêté de réduire cet homme à l'étiquette que je posais sur lui. Résultat, je m'en suis sentie moins éloignée. En m'autorisant à regarder ce qu'il y avait de bien chez les gens, j'ai découvert une manière différente de nouer un lien avec eux.

C'est la clé de la pratique de l'amour bienveillant : reconnaître à tous les êtres humains le même besoin de sentir qu'ils font partie de quelque chose qui a du sens et peut leur apporter de la satisfaction ; être conscient que nous sommes tous vulnérables au changement et à la perte ; et que nos vies peuvent basculer en un clin d'œil suite à la disparition d'un être cher, d'économies de toute une vie ou d'un emploi. Nous traversons tous des hauts et des bas. Quelle que soit notre situation actuelle, nous sommes dans la même situation de fragilité face aux transformations incessantes de la vie. C'est en comprenant cette réalité en profondeur que nous pourrons y répondre avec notre cœur. La méditation de l'amour bienveillant nous permet d'utiliser notre propre douleur et celle des autres comme un outil pour nous relier plutôt que nous isoler. Peut-être, lorsqu'une personne semble avoir mal agi, devrions-nous essayer de regarder au-delà des faits, et reconnaître sa souffrance et son désir de bonheur.

À ESSAYER
De la joie pour tous

Lorsqu'il m'arrive d'avoir du mal à me réjouir du succès ou de la chance de quelqu'un, je me demande « Qu'est-ce que ça m'apporterait de plus si cette personne n'avait pas telle ou telle chose ? » Alors je me rends compte que je n'aurais rien à y gagner.

Souvent, de façon inconsciente, nous avons le sentiment que les bienfaits que reçoivent les autres nous étaient destinés et nous ont été ôtés par un injuste coup du sort. Une impression qui, bien entendu, mérite d'être examinée de plus près.

Cultiver la joie partagée permet de comprendre que le bonheur des autres ne nous enlève rien. Au contraire, plus il y a de joie et de réussite sur cette terre, plus chacun d'entre nous se sent bien.

PRÉSENTATION DE LA PRATIQUE

La méditation de l'amour bienveillant se pratique en se répétant en silence des phrases exprimant des souhaits emplis de sollicitude, d'abord envers nous-mêmes, puis à l'égard de toute une série de gens. Ces phrases sont généralement des variantes de « Puissé-je être en sécurité » (ou : « Puissé-je être à l'abri du danger », « Puissé-je être heureux », « Puissé-je être bien portant », « Puissé-je vivre sans difficultés, sans avoir à me battre quotidiennement) ». La formule « Puissé-je » ne traduit pas une prière ou une supplique ; elle témoigne de l'intention de souhaiter généreusement le meilleur à soi-même et aux autres : « Puissé-je être heureux. Puissiez-vous être heureux. »

Il n'est pas nécessaire de rechercher une émotion particulière en s'engageant dans cette méditation. Vous n'avez pas à faire semblant d'éprouver de l'affection pour quelqu'un si ce n'est pas le cas. Vous pouvez adresser de l'amour bienveillant à une personne même si vous ne l'appréciez pas. Vous reconnaissez simplement votre connexion en tant qu'êtres humains. Le pouvoir de la pratique vient de la focalisation de toute notre attention et notre énergie autour de chaque phrase.

L'une de mes étudiantes m'a avoué qu'au début l'idée même d'une méditation sur la bienveillance lui paraissait gnangnan et affectée. Malgré tout, elle s'est concentrée sur les phrases, et en dépit de ses doutes elle a senti quelque chose bouger et s'ouvrir en elle – un approfondissement et un élargissement de sa compassion tandis qu'elle adressait ses vœux à elle-même et au monde. « Au début, j'avais l'impression qu'il ne se passait rien, m'a-t-elle confié. Puis un jour, j'ai eu une absence : j'ai totalement oublié une réunion de parents à l'école de mes enfants. Or, au lieu de me sentir honteuse et de me traiter de tous les noms, ce que j'ai toujours fait dans ce genre de situation, j'ai pensé : "Ma pauvre, tu as trop de choses en tête." Cette réaction m'a stupéfiée – et m'a fait regarder d'un autre œil la méditation sur la bienveillance. Finalement, je ne devais pas pratiquer aussi machinalement que je le croyais. Avant, je n'aurais remarqué que mon oubli, mais grâce à la méditation sur la bienveillance, j'ai pu prendre du recul, en tirer une constatation positive à mon propre égard en me montrant moins dure avec moi-même. »

À l'instar de cette pratiquante, beaucoup d'entre nous ont tendance à se focaliser sur ce qu'ils n'aiment pas chez eux. Même si ces pensées ont parfois leur raison d'être, la force de l'habitude nous rend souvent très subjectifs dans nos perceptions, nous empêchant de distinguer une large part du positif. Nous nous reprochons de ne pas avoir effectué une tâche parfaitement sans nous rendre compte que ce que nous avons fait est très bien. Ou nous nous rappelons tous les problèmes de l'après-midi en oubliant que nous avons passé une matinée agréable. La vie est suffisamment épuisante sans que cette image biaisée de nous-mêmes nous vide de notre énergie et nous la complique un peu plus. Le premier exercice nous aidera à acquérir une vision plus juste et compatissante.

SUGGESTION

Durant la Semaine 4, ajoutez un sixième jour de pratique, avec une session de vingt minutes minimum. Intégrez au moins une méditation sur la bienveillance au cours de la semaine.

MÉDITATION SUR L'AMOUR BIENVEILLANT : MÉDITATION DE BASE

Asseyez-vous ou allongez-vous confortablement sur le dos. Vous pouvez fermer les yeux ou les garder ouverts. Tout d'abord, adressez-vous de la bienveillance par ces souhaits silencieux : « Puissé-je être en sécurité, puissé-je être heureux, puissé-je être bien portant, puissé-je vivre sans rencontrer de difficultés ni de problèmes. » Répétez-vous ces paroles intérieurement en prenant le temps de percevoir le sens de chacune d'entre elles. Restez concentré sur une seule phrase à la fois.

Si vous constatez que votre attention s'est égarée, contentez-vous de lâcher tranquillement ce qui vous a distrait et recommencez : « Puissé-je être en sécurité, puissé-je être heureux, puissé-je être bien portant, puissé-je vivre sans rencontrer de difficultés ni de problèmes. » Il est possible que des émotions, des pensées ou des souvenirs se présentent ; observez-les et laissez-les passer. Dans cette méditation, votre ancrage n'est pas la respiration mais la répétition de ces phrases issues de la tradition. « Puissé-je être en sécurité, puissé-je être heureux, puissé-je être bien portant, puissé-je vivre sans rencontrer de difficultés ni de problèmes. »

Songez à une personne que vous appréciez pour ses actions bienfaisantes – quelqu'un qui vous a aidé, s'est montré généreux ou bienveillant avec vous, ou une figure que vous n'avez jamais rencontrée mais qui vous inspire. Visualisez-la, nommez-la silencieusement, percevez sa présence, et adressez-lui vos vœux bienveillants. Souhaitez-lui tout ce que vous vous êtes souhaité à vous-même : « Puisses-tu être en sécurité, puisses-tu être heureux, puisses-tu être bien portant, puisses-tu vivre sans rencontrer de difficultés ni de problèmes. » Des pensées surgiront sans doute pendant que vous vous représenterez cette personne. Peut-être vous demanderez-vous : « Pourquoi cette personne, qui est si merveilleuse, aurait-elle besoin de mes vœux de bonheur ? » Si c'est le cas, laissez cette pensée s'éloigner tout en vous concentrant sur la répétition des phrases.

Peu importe si les mots vous paraissent parfois mal adaptés, surprenants ou bizarres ; c'est par eux que nous parvenons à nous connecter. « Puisses-tu être en sécurité, puisses-tu être heureux, puisses-tu être bien portant, puisses-tu vivre sans rencontrer de difficultés ni de problèmes. »

Maintenant, pensez à quelqu'un qui au moment où vous l'évoquez traverse une période de douleur ou de difficultés. Visualisez la personne, nommez-la, percevez sa présence, et offrez-lui ces formules de bienveillance. « Puisses-tu être en sécurité, puisses-tu être heureux, puisses-tu être bien portant, puisses-tu vivre sans rencontrer de difficultés ni de problèmes. »

Si vous vous rendez compte que vous vous êtes laissé distraire, ne vous découragez pas. Lâchez paisiblement ce qui a détourné votre attention et reprenez, phrase par phrase.

Songez à présent à une personne que vous croisez de temps en temps – une voisine, un caissier au super-marché, un homme que vous voyez promener son chien et dont le nom vous est peut-être même inconnu. Visua-lisez-la néanmoins, percevez sa présence. Bien que vous ignoriez tout de sa vie, vous savez que, comme vous, elle est vulnérable à la douleur et à la perte et désire être heureuse. Vous pouvez lui souhaiter du bien. « Puisses-tu être en sécurité, puisses-tu être heureuse, puisses-tu être bien portante, puisses-tu vivre sans rencontrer de difficultés ni de problèmes. »

Pensez désormais à quelqu'un avec qui vous avez des relations difficiles ou dont les paroles ou les actes vous déplaisent (voir encart, pages 191). Si lui adresser de la bienveillance se révèle vraiment trop compliqué, ne vous obstinez pas ; reportez simplement cette bienveil-lance sur vous-même. Puisque en cet instant *vous* êtes celui ou celle qui souffre, il est tout à fait normal que vous receviez de l'attention empreinte de compassion.

Pour finir, vous pouvez offrir vos vœux, la force de l'amour bienveillant, à tous les êtres vivants, tous les gens, toutes les créatures, connus ou inconnus, proches ou éloignés. « Puissent tous les êtres vivants être en sécurité ; puissent tous les êtres vivants être heureux ;

puissent tous les êtres vivants être bien portants ; puissent tous les êtres vivants vivre sans rencontrer de difficultés ni de problèmes. »

MÉDITATION SUR L'AMOUR BIENVEILLANT DANS LES MOMENTS DE SOUFFRANCE

Notre sagesse intuitive nous incite souvent à lâcher prise, à demeurer paisibles, à abandonner notre besoin de contrôler les choses. Or notre conditionnement culturel et notre histoire personnelle nous font croire que le bonheur ne peut s'obtenir qu'en s'accrochant aux êtres et en recherchant plaisir et distractions. Si bien que nous nous retrouvons souvent tiraillés entre l'un et l'autre : la sagesse du lâcher-prise et le désir conditionné de s'agripper et de maîtriser. D'où l'importance d'écouter tout particulièrement notre intuition dans les moments de souffrance physique ou émotionnelle.

Cette méditation pourra vous y aider. Choisissez une, deux ou trois des formules de bienveillance énoncées ci-dessous. Modifiez-les à votre convenance ou, si vous préférez, créez de nouvelles formules mieux adaptées à votre situation personnelle.

Commencez par pratiquer ainsi pendant cinq à dix minutes. Puis enchaînez par une méditation sur la respiration (Semaine 1, page 54) ou la pratique de la bienveillance détaillée à partir de la page 184. Si des sentiments de tristesse, de désarroi, de peur ou de malaise dévient sans cesse votre attention, répondez à votre douleur en revenant à ces phrases de bienveillance.

Tout d'abord, asseyez-vous ou allongez-vous confortablement sur le sol et prenez quelques respirations profondes le temps que votre corps se relâche. Portez votre attention sur votre souffle, puis répétez-vous silencieusement les formules choisies au rythme de votre respiration, ou focalisez-vous simplement sur les phrases. Ressentez en profondeur le sens des paroles que vous énoncez sans pour autant chercher à éprouver une émotion particulière. Laissez-vous guider par la pratique.

« Puissé-je accepter cette souffrance sans croire qu'elle fait de moi quelqu'un de mauvais ou de répréhensible. »

« Puissé-je ne pas oublier que ma conscience est plus vaste que mon corps. »

« Puissent tous ceux qui m'ont aidé être en sécurité, heureux et en paix. »

« Puissent tous les êtres, où qu'ils se trouvent, être en sécurité, heureux et en paix. »

« Puisse mon amour pour moi-même et les autres s'étendre sans limites. »

« Puisse le pouvoir de la bienveillance me soutenir. »

« Puissé-je être ouvert à l'inconnu, tel un oiseau volant librement vers d'autres horizons. »

« Puissé-je accepter ma colère, ma peur et mon inquiétude sans oublier que mon cœur est plus vaste que ces émotions. »

« Puissé-je être à l'abri du danger, puissé-je être en paix. »

« Puissé-je être libéré de la colère, de la peur et du regret. »

« Puissé-je vivre et mourir sans difficultés ni problèmes. »

Quand vous vous sentez prêt, ouvrez les yeux.

COMMENT ADRESSER DE L'AMOUR BIENVEILLANT À UNE PERSONNE QUI VOUS DÉPLAÎT

Lorsque vous prenez la décision d'adresser de la bienveillance à une personne que vous n'appréciez pas, évitez de commencer par celui ou celle que vous détestez le plus, qu'il s'agisse d'une connaissance personnelle ou d'un personnage public. Choisissez plutôt quelqu'un qui vous dérange, par exemple dont vous avez un peu peur ou avec qui vous entretenez des relations difficiles.

En débutant par une personne qui ne nous pose pas d'énormes problèmes, nous pouvons observer nos réactions sans risquer d'être débordés par l'émotion. Nous n'abordons pas la pratique le cœur lourd, mais comme une exploration qui nous aide à nous regarder avec douceur et à repérer nos résistances : la manière dont nous nous retenons d'exprimer notre attention compatissante à l'égard de la personne concernée et refusons d'abandonner nos a priori.

Vous éprouverez peut-être de la colère envers celui ou celle à qui vous êtes supposé adresser de la bienveillance. Parfois, la colère est un révélateur de ce qui se dissimule derrière les convenances sociales, dévoile les dénis, les collusions et les faux-semblants. Mais le plus souvent, elle nous aveugle. Prisonniers d'une définition étroite de nous-mêmes, de l'autre, et de l'évolution de chacun d'entre nous, nous oublions qu'il est possible de changer. Si vous constatez que vous êtes en colère, essayez de vous souvenir de la façon dont cet état vous a limité en de précédentes occasions, vous empêchant d'appréhender la situation dans sa globalité.

Les gens croient souvent qu'en lâchant leur colère ils abandonnent également leurs principes, leurs valeurs et toute notion de bien et de mal. Or les deux ne sont pas forcément liés. Il est tout à fait possible de rester lucide sans se noyer dans les aspects toxiques de la colère que sont l'obsession, l'absence d'alternative, le manque de perspective, les actes destructeurs ou nuisibles, et l'oubli de ce qui compte le plus pour soi. Ainsi s'éveille la force de la compassion.

Éprouver de la bienveillance envers quelqu'un que nous n'apprécions pas permet de voir ce qui se passe lorsque nous acceptons d'être en lien avec une personne au lieu de nous focaliser uniquement sur nos sentiments hostiles, lorsque nous restons attentifs à sa souffrance sans nous bloquer sur ses aspects négatifs.

À mesure que cette méditation vous deviendra plus familière, vous vous rendrez compte que vous abordez la pratique le cœur plus léger, et parviendrez peut-être même à inclure dans votre bienveillance une personne qui vous a fait du mal.

Les tournures employées pour adresser de la bienveillance à quelqu'un qui vous déplaît doivent être élaborées avec soin de manière à vous éviter de lutter trop intensément contre votre sentiment d'origine. Libre à vous de créer vos propres versions des phrases suivantes :

« Puisses-tu être rempli de bienveillance. »

« Puisses-tu être heureux et avoir des raisons de te réjouir. »

« Puisses-tu être libéré de la souffrance et des causes de cette souffrance. »

« Puisses-tu être libéré de la colère, de l'inimitié et de l'amertume. »

En offrant votre bienveillance aimante à une personne que vous n'appréciez pas, vous enclenchez un processus qui ouvre le cœur et affranchit de la peur et des effets destructeurs du ressentiment – un processus profond et libérateur qui nécessite de se dépasser et exige du temps. « Qui nous donne le rythme à suivre ? » m'a un jour demandé un étudiant impatient et frustré de ne pas réussir à se montrer pleinement bienveillant dans sa pratique. Bien sûr, nul autre que nous-mêmes.

MÉDITATION SUR L'AMOUR BIENVEILLANT POUR CEUX QUI PRENNENT SOIN DES AUTRES

Parmi les participants à la retraite que j'ai proposée à l'intention des personnes amenées à s'occuper des autres se trouvaient des parents, des fils et des filles, des maris et des femmes, des professionnels de santé, des thérapeutes, des aumôniers, et bien d'autres encore. Au-delà d'un état de fatigue évident, ce qui m'a le plus frappé chez chacun d'eux, c'était sa manière de considérer comme un privilège le fait de pouvoir exercer sa tâche, si frustrante et difficile soit-elle. C'est là une belle preuve de grandeur d'âme. Cependant, je me suis aussi rendu compte que, pour quiconque consacre tout son temps à prendre soin d'autrui, fût-ce du fond du cœur et avec toute la bonne volonté du monde, le spectre du surmenage n'est jamais loin.

Pour bien s'occuper d'autrui, il faut trouver l'équilibre entre l'amour et la compassion que l'on se porte et l'amour et la compassion que l'on porte aux autres : être capable d'ouvrir pleinement son cœur tout en acceptant ses limites. Trouver cet équilibre permet de prendre soin d'autrui sans se laisser peu à peu consumer par cette tâche.

Il y a quelques années, suite à la demande de Roshi Joan Halifax, concepteur d'un programme de formation incluant la méditation au sein des soins palliatifs, j'ai écrit une méditation sur la bienveillance destinée aux professionnels du soin et de la santé. Cette méditation, qui rend hommage au travail impressionnant de ces hommes et de ces femmes, a pour but de les soutenir dans leur travail. J'en propose ci-dessous une adaptation.

Les phrases que nous utilisons reflètent la nature de l'équilibre que nous recherchons. Choisissez-en une ou deux particulièrement significatives pour vous. Vous pouvez transformer celles que je suggère, voire en créer de nouvelles plus adaptées à vos besoins.

Tout d'abord, asseyez-vous ou allongez-vous confortablement. Prenez plusieurs respirations profondes pour relâcher votre corps puis portez votre attention sur le souffle et répétez silencieusement les formules choisies au rythme de votre respiration. Vous pouvez également vous focaliser sur les phrases sans vous servir de l'ancrage du souffle. Percevez le sens profond de chacune de vos paroles et laissez la pratique vous guider.

« Puissé-je trouver en moi les ressources nécessaires pour être à même de donner et de recevoir. »

« Puissé-je rester en paix et renoncer à mes attentes. »

« Puissé-je donner de l'amour tout en restant conscient de mon incapacité à maîtriser le cours de la vie, la souffrance et la mort. »

« Ta douleur me touche, mais je n'ai pas les moyens de la contrôler. »

« Je te souhaite d'être heureux et en paix tout en sachant que je ne peux pas choisir à ta place. »

« Puissé-je regarder mes limites avec compassion comme je regarde celles des autres. »

« Puissé-je te voir tel que j'aimerais être vu, aussi vaste que la vie, tellement plus grand que ton besoin ou ta douleur. »

Quand vous vous sentez prêt, ouvrez les yeux.

MÉDITATION SUR LE POSITIF

Asseyez-vous ou allongez-vous dans une position confortable. Vous pouvez garder les yeux ouverts ou les fermer. Tout d'abord, essayez de vous souvenir d'une chose positive que vous avez faite hier. Cela n'a pas besoin d'être important ni impressionnant. Vous avez peut-être prêté attention ou souri à quelqu'un. Ou senti monter de l'agacement devant la lenteur d'une caissière au supermarché et attendu que votre irritation s'apaise. Ou encore recyclé vos déchets, envoyé par mail un article intéressant à votre oncle, remercié un conducteur de bus. À présent, pensez à deux actions supplémentaires.

Rappelez-vous qu'on peut considérer ce qu'on a fait de bien sans être vaniteux ni arrogant. Apprécier le positif qui s'exprime en nous nous redonne de l'énergie. Restez assis un moment à vous souvenir de tout ce que vous avez fait de positif.

Si rien ne vous vient à l'esprit, ce n'est pas grave : le simple fait de s'asseoir dans le but de pratiquer cette méditation suffit. C'est une manière d'établir un rapport amical avec soi, d'essayer d'être plus conscient, de sortir de la routine et de tenter quelque chose de nouveau – et ça, c'est très positif.

Maintenant, visualisez quelqu'un qui vous a fait du bien, qui vous a aidé, et songez à ce qu'il y a de positif chez lui. Appréciez ses efforts et la sollicitude de ses actes.

Songez à un ami proche. Rappelez-vous la gentillesse dont il a fait preuve et les moments importants que vous avez passés ensemble. Appréciez ce qu'il y a de bon en lui.

Puis pensez à une connaissance qui traverse une période difficile. Souvenez-vous des occasions dans lesquelles elle a tendu la main aux autres, puisant dans ses propres ressources. Vous pouvez percevoir ainsi que cette personne ne se réduit pas à son problème, qu'elle est plus vaste que lui.

Remémorez-vous un moment difficile de la journée qui vient de s'écouler. Parvenez-vous à sentir que vous êtes plus vaste que ce problème, doté d'un potentiel de croissance et de transformation ? Être « plus vaste que le problème », c'est garder à l'esprit qu'un programme surchargé ou un conjoint stressé ne le seront pas toujours, et que si vous perdez votre calme ou vous sentez dépassé, vous avez toujours la possibilité de prendre un nouveau départ.

Songez à quelqu'un avec qui vous avez des relations difficiles ou conflictuelles. Essayez de trouver quelque chose de bien dans ses actions ou ses choix. Si vous n'y parvenez pas, souvenez-vous simplement qu'à l'instar de tous les êtres humains, il désire être heureux.

Terminez en réfléchissant un moment au fait que tous les êtres recherchent le bonheur – vous, vos amis, la personne qui vous pose un problème. « Tous les êtres

veulent être heureux, puissent-ils être heureux. »
Répétez-vous cette phrase encore et encore : « Tous les
êtres veulent être heureux, puissent-ils être heureux. »

Lorsque vous vous sentez prêt, mettez fin à la
méditation.

Cet exercice vous a-t-il permis de sentir qu'il est
toujours possible de prendre du recul pour avoir une
vision plus large des choses ? Cette distance, cette sensation d'amplitude, c'est l'équanimité, la stabilité. Cette
égalité d'état d'âme ne veut pas dire que nous ne nous
sentirons jamais débordés ou épuisés, mais que nous
veillerons à ne pas oublier les options qui s'offrent à
nous. Dans l'adversité, cela nous aidera à nous rappeler
que nous ne nous limitons pas à nos difficultés, et au
quotidien que nous possédons une ressource nous
permettant d'être généreux envers nous-mêmes et de
reconnaître notre lien avec la communauté humaine.

MÉDITATION POUR FAIRE TAIRE SON JUGE INTÉRIEUR

Cette méditation peut se pratiquer dans n'importe
quelle posture, les yeux ouverts ou fermés ; il suffit de se
détendre. Repensez à une émotion désagréable que vous
avez éprouvée récemment – jalousie, peur, avidité – et
notez les sentiments qu'elle éveille en vous. En
avez-vous honte ? Vous reprochez-vous de l'avoir
éprouvée ? Estimez-vous que vous auriez dû réussir à
l'étouffer dans l'œuf ? Vous considérez-vous comme
bon ou mauvais à cause d'elle ? Que se passe-t-il maintenant si vous remplacez « mauvais » par « en souffrance » ? Vous rendez-vous compte que ce sentiment

de jalousie ou de peur vous fait souffrir ? Comment évolue votre rapport avec lui à mesure que vous le contemplez ?

Quelles sensations corporelles apparaissent quand vous restez au plus près de cette émotion, dans un esprit de bienveillance et de compassion ? Percevez-vous à la fois la présence de la douleur et celle de la compassion qui l'entoure ? Si ce jugement de « bon » ou de « mauvais » réapparaît, remarquez-en les effets. Si dès que vous vous surprenez en train de vous critiquer avec sévérité vous remplacez cette habitude par de la compassion pour vous-même, alors vous pratiquez l'amour bienveillant.

Pour finir, rappelez-vous que, si vous n'êtes pas en mesure d'empêcher les émotions négatives de surgir, il n'y a aucune raison de les laisser vous bouleverser, vous définir, ni de chercher à les manipuler ou d'en avoir honte. Leur existence fait simplement partie de la nature des choses, pour nous comme pour les autres. Vous pouvez vous employer à essayer de les repérer plus rapidement, de reconnaître leur caractère douloureux, d'éprouver de la compassion pour vous-même puis de les lâcher. Et aussi vous promettre de ne pas oublier que, lorsque quelqu'un agit de manière répréhensible, l'émotion négative à l'origine de son acte le fait souffrir, et que cette souffrance mérite de la compassion.

Quand vous vous sentez prêt, ouvrez les yeux.

MÉDITATION SUR L'AMOUR BIENVEILLANT EN MARCHANT

Il est possible de pratiquer l'amour bienveillant durant la marche méditative présentée en Semaine 2. Simplement, au lieu de se focaliser sur les sensations du mouvement, on se concentre sur la récitation silencieuse des formules de bienveillance.

Commencez par vous répéter deux ou trois phrases, par exemple : « Puissé-je être en paix », « Puissé-je être heureux », « Puissé-je être en sécurité. » Pendant que vous marchez, gardez une partie de votre attention fixée sur ces phrases, et une autre sur ce qui vous entoure. Dès qu'un être entre dans votre champ de conscience – un passant, un chien qui aboie, un oiseau qui chante, ou le souvenir vif d'une personne – incluez-le dans votre méditation en pensant « Puisses-tu être heureux. » Puis reportez votre attention sur les phrases qui vous sont destinées. Dès que celle-ci se met à vagabonder, recommencez en répétant : « Puissé-je être en paix », « Puissé-je être heureux », « Puissé-je être en sécurité. »

Le fait de revenir aux phrases qui nous sont adressées nous offre un objet de concentration stable, même si nous sommes libres d'accueillir et d'englober dans notre méditation tous ceux qui pénètrent de manière durable à l'intérieur de notre conscience. « Puissé-je être en paix », « Puissé-je être heureux », « Puissé-je être en sécurité ». « Puisses-tu être en paix », « Puisses-tu être heureux », « Puisses-tu être en sécurité ».

Il se peut que l'image d'une personne que l'on envie ou dont on a un peu peur surgisse dans notre esprit. Tout en marchant, nous lui adressons de l'amour bienveillant. « Puisses-tu être en paix », « Puisses-tu être heureux », « Puisses-tu être en sécurité ».

MÉDITATION SUR LE CERCLE D'AMOUR BIENVEILLANT

Imaginez que vous êtes assis au centre d'un cercle formé par les êtres les plus aimants que vous ayez jamais rencontrés ou des personnes qui vous inspirent. Il pourra s'agir de contemporains, de personnages historiques ou même mythiques. Voilà le cercle. Et vous en êtes le centre. C'est un cercle d'amour. Faites l'expérience de recevoir l'énergie, l'attention, la sollicitude, le regard de tous ces êtres. Répétez-vous silencieusement des phrases de votre choix exprimant clairement ce que vous vous souhaitez, non seulement pour aujourd'hui, mais pour toujours. Des phrases fortes, empreintes d'ouverture. Vous pouvez choisir une des formules traditionnelles que nous avons vues, ou d'autres mieux adaptées à votre situation, comme : « Puissé-je être en paix avec moi-même » ou « Puissé-je être libéré de la souffrance ». Sélectionnez trois ou quatre phrases.

Puis imaginez que toutes les personnes du cercle vous adressent ces phrases d'amour bienveillant. Toutes sortes d'émotions peuvent surgir. Vous éprouverez peut-être de la gratitude et de l'admiration, ou une timidité qui vous donnera envie de disparaître pour que les personnes assises dans le cercle vous oublient et offrent leur bienveillance à quelqu'un d'autre. À moins que vous ne vous estimiez indigne d'attention ou de sollicitude. Ou que vous ne vous sentiez merveilleusement bien. Quelle que soit l'émotion qui se présente, laissez-la simplement passer. Ces phrases évocatrices pour vous représentent votre pierre de touche. Imaginez que votre peau est poreuse et que cette énergie pénètre en vous. Vous n'avez pas besoin de faire quoi que ce soit de spécial pour mériter cette reconnaissance et cette sollicitude, le fait d'exister suffit. Maintenant, laissez cette compassion et cet amour retourner vers le cercle, puis vers le monde entier, de manière à transformer en don ce que vous aurez reçu.

Quand vous vous sentirez prêt, ouvrez les yeux.

OBSERVATIONS SUR LA SEMAINE 4

Le fait de diriger son attention pleine de sollicitude sur des milliards d'êtres humains peut sembler bizarre (même si, soit dit au passage, personne ne s'attend à ce que vous aimiez tout le monde à la fin de la Semaine 4). Mais en adressant nos vœux à tous les êtres en fin de pratique, nous nous rappelons que nous sommes reliés à un vaste réseau d'existences et que de petits changements quotidiens dans nos comportements et nos intentions peuvent irradier autour de nous de façon exponentielle.

N'hésitez pas à modifier les tournures de phrases traditionnelles pour vous les approprier – « Puissé-je avoir le cœur paisible », par exemple. Elles doivent être assez générales pour s'adresser à la fois aux gens que vous connaissez et à tous les autres. (Ainsi, « Puissé-je obtenir des billets pour les matchs des Steelers » n'est pas vraiment approprié.) J'ai été particulièrement touchée par la phrase d'une enfant. Willa, la fille d'une amie, avait sept ans le jour de l'attentat à la bombe dans le métro londonien en juillet 2005. Profondément attristée par la nouvelle, elle a suggéré à sa mère, les yeux remplis de larmes : « Maman, on devrait dire une prière. » Puis, alors qu'elles se tenaient par la main, elle a souhaité commencer et, à la surprise de sa mère, a déclaré : « Puissent les méchants se souvenir de l'amour qui est dans leur cœur. »

À force de méditer sur l'amour bienveillant, vous vous apercevrez peut-être que cette pratique provoque en vous des changements inattendus. La méditation en pleine conscience, que nous avons abordée en Semaines 2 et 3, nous permet de faire la distinction entre l'expérience réelle et l'histoire que nous tissons tout autour – nos pensées additionnelles – et, par conséquent, de choisir de mettre ou non un terme à cette dernière. La méditation sur l'amour bienveillant, elle, a le pouvoir de modifier le contenu du récit. Si le scénario que nous échafaudons le plus souvent, notre réponse automatique aux aléas de l'existence qui détermine notre vision de nous-mêmes et du monde, tourne autour de l'isolement, de l'abandon ou de la peur, il pourra, grâce à cette pratique, se transformer pour nous parler de lien, de sollicitude et de bienveillance.

Voici quelques scénarios types partagés par beaucoup d'entre nous et susceptibles d'être réécrits par l'amour bienveillant :

« Je suis nul. » À partir du moment où nous nous regardons nous-mêmes avec bienveillance – en nous rappelant nos actions positives grâce à la méditation sur le positif ou aux vœux que nous nous adressons en méditant sur l'amour bienveillant –, nous commençons à saper les fondations de cette vieille rengaine douloureuse. Notre détermination à reconnaître et à accepter nos réussites et nos émotions positives durant la pratique nous donne une image plus juste de nous-mêmes ; elle renforce notre impression d'être soutenus et nourris intérieurement.

« Je suis seul. » La reconnaissance de l'interdépendance de tous les êtres humains efface peu à peu notre sentiment d'isolement.

« Plus de bonheur pour autrui implique moins de bonheur pour moi. » À mesure que nous développons notre capacité à nous réjouir pour les autres, nous comprenons qu'il y a de la joie en abondance pour chacun.

« Seules quelques personnes m'intéressent. » En méditant sur l'amour bienveillant, nous nous rendons attentifs à des gens que nous n'aurions pas remarqués auparavant ou que nous aurions simplement considérés pour leur fonction (la femme de chambre de l'hôtel ou le facteur). Cette méditation nous apprend à prendre en compte chaque personne et à reconnaître sa valeur.

Il y a peu, je me suis surprise en pleine élaboration d'un scénario que j'ai réussi à transformer grâce à l'amour bienveillant. J'étais dans un avion cloué au sol depuis quatre heures et demie, dans une situation assez similaire à celle de l'histoire du métro scellé par des extraterrestres. L'atmosphère était oppressante. Des gens se sont mis à hurler pour qu'on les laisse sortir. Après avoir appelé la tour de contrôle, le pilote a annoncé d'un air grave que c'était impossible. Je n'étais pas très joyeuse moi-même. Je devais donner des cours à Tucson et ne parvenais pas à joindre les personnes supposées m'accueillir à l'arrivée. Par ailleurs, j'avais chaud et je supportais mal les cris qui s'élevaient autour de moi. C'est alors que je me suis remémoré l'histoire de

Robert Thurman. J'ai balayé la cabine des yeux en pensant : « Peut-être s'agit-il de ma voiture de métro à moi et des gens avec qui j'y suis enfermée. » Il a suffi que je change de point de vue pour que ma perception de la situation évolue à son tour. Tout à coup, mon agacement envers les gens qui m'entouraient a cédé la place à de l'intérêt et à une plus grande sollicitude. J'ai arrêté d'alimenter la tension qui montait à l'intérieur du cockpit. Cela a-t-il eu des effets ? Je l'ignore. Mais ce nouveau positionnement m'a permis de changer de récit. Il m'a montré qu'en restant conscients de notre interdépendance, nous nous rappelons que chacun est important.

FAQ
(Foire aux questions)

Q La pratique de la méditation sur l'amour bienveillant peut-elle vraiment modifier nos sentiments envers quelqu'un qui nous déplaît ?

R Un jour, j'ai reçu un appel d'une doctorante qui avait interrogé une quinzaine de méditants sur leur pratique de l'amour bienveillant. Tous, m'a-t-elle affirmé, lui avaient déclaré la même chose : à un moment de leur pratique, ils avaient compris que derrière toute mauvaise action se cache pour son auteur un point de souffrance. J'ai trouvé cette remarque d'autant plus intéressante que cette compréhension profonde ne fait pas spécifiquement partie des enjeux de la pratique. Non seulement, il n'est nulle part demandé de méditer ni de réfléchir sur ce sujet, mais celui-ci est à peine abordé. Pourtant, toutes les personnes interrogées dans le cadre de cette recherche ont expérimenté la même prise de conscience. En modifiant notre regard, nous n'appréhendons plus du tout de la même manière les complexités de l'existence d'autrui. Il nous est également plus facile de nous rendre compte que nos propres comportements imprudents ou maladroits naissent souvent d'un point douloureux au fond de nous – constatation que nous pouvons alors extrapoler aux autres êtres humains.

Q Il m'arrive de compatir à la douleur des autres, mais dans certains cas j'estime que les gens sont entièrement responsables de leurs problèmes. Est-ce que je manque d'humanité ?

R Non, vous êtes humain, justement. Voir la douleur ne conduit pas forcément à la compassion. On peut être effrayé ou révulsé par la vision de la souffrance d'autrui et préférer détourner les yeux. Ou penser que les gens sont responsables de leurs problèmes et devraient faire plus d'efforts pour s'en sortir. On peut également s'empêcher d'exprimer sa compassion parce que l'on se reproche de ne pas parvenir à diminuer les souffrances du monde. À moins que ce ne soit par culpabilité d'un acte ou d'une parole – ou de leur absence. Ou encore, il est possible que l'on souffre trop soi-même pour trouver l'énergie de compatir

au malheur des autres. Autant de situations susceptibles d'étouffer la compassion.

La compassion est un acte sincère : elle consiste
à reconnaître avec équanimité ce qui se passe. Dans
le cas dont vous parlez, cela signifie reconnaître
que, oui, cette personne est son propre ennemi,
qu'elle ne gère pas ses problèmes très habilement.
Mais, au bout du compte, la compassion implique
de voir que les émotions pénibles comme la peur,
l'avidité ou la jalousie ne sont pas bonnes,
mauvaises ou terribles, mais avant tout l'expression
d'une douleur. Plus nous le ferons, plus la compassion s'éveillera aisément en nous.

Q Si on adresse de l'amour bienveillant à quelqu'un
sans rien ressentir à son égard, est-ce que ça
marche ?

R D'après mon expérience, il arrive souvent de
méditer sur l'amour bienveillant sans ressentir
d'émotion particulière, ce qui ne veut pas dire qu'il
ne se passe rien. L'amour sur lequel nous méditons
consiste à reconnaître entre les êtres une connexion
plus profonde que l'émotion. La formule employée
est fondamentale dans la mesure où elle exprime
notre intention d'être en lien, d'inclure plutôt que
d'exclure, de changer notre regard. Il s'agit de
concentrer cette intention autour de la phrase
choisie et de l'y maintenir paisiblement sans chercher à tout prix à éprouver une émotion. Même si
les mots que vous prononcez ne déclenchent rien
en vous, ils agissent néanmoins à un niveau plus

subtil. Il est possible que vos attentes relatives à ce que vous êtes censé ressentir – un élan d'amour sentimental sur fond de chants d'oiseaux – vous empêchent de remarquer les changements plus profonds qui s'opèrent en vous.

Q Certains jours, j'arrive à englober le monde entier dans ma méditation sur l'amour bienveillant... à l'exception de deux personnes que je ne supporte vraiment pas. Que dois-je faire dans ce cas-là ?

R Selon le dalaï-lama, « si vous avez un ennemi et pensez sans cesse à lui – à ses défauts, à ce qu'il a fait ou à ce que vous lui reprochez –, alors vous ne pouvez pas vraiment profiter de quoi que ce soit. Vous n'arrivez plus à manger, à bien dormir la nuit. Pourquoi lui donner cette satisfaction ? ». C'est du bon sens : plus nous sommes absorbés par la façon d'être d'une personne, plus celle-ci nous obsède, moins nous sommes libres. Ainsi, c'est souvent par compassion pour nous-mêmes que nous pratiquons l'amour bienveillant – ce qui n'implique pas forcément d'aimer les gens à qui nous adressons cet amour, mais peut conduire à modifier notre regard sur eux. Vous pouvez commencer en vous rappelant que tout le monde aspire au bonheur, y compris ceux qui le cherchent dans de mauvaises directions.

Q Avec tout cet amour bienveillant en moi, j'ai peur de ne plus savoir me défendre ou me protéger. J'ai l'impression de me promener avec autour du cou une pancarte où il serait écrit : « Quoi que vous me fassiez, je vous accepte. »

R Il s'agit là d'un point très important. En expérimentant l'amour bienveillant, nous nous rendons compte que la compassion ne nous rend pas forcément faible, sentimental ou susceptible d'être manipulé. Mais avant de faire cette découverte, bien sûr, nous nous inquiétons : « À force d'ouvrir mon cœur et de sourire sans cesse, je vais laisser tout le monde se comporter n'importe comment avec moi ou avec les autres. » Nous sommes conditionnés ainsi. La plupart d'entre nous ont grandi avec l'idée que « plus tu donnes, plus on t'en demande », ou qu'« on ne peut se fier à personne ».

Nous pensons qu'un être compatissant est forcément gentil et qu'il accepte tout. Or, parfois, la réaction la plus compatissante consiste au contraire à dire non, à refuser les comportements destructeurs, à poser des limites, ou à faire de son mieux pour empêcher une personne de se nuire. Il est tout à fait possible de pratiquer l'amour bienveillant sans renoncer à ses facultés de discernement ou d'anticipation.

L'une de mes amies est une thérapeute merveilleuse dotée d'une très grande empathie. Un jour, elle a reçu dans son cabinet un homme qui l'a quasiment suppliée de le prendre comme patient. Il avait une attitude agaçante, tenait des propos choquants sur les femmes et affichait des opinions politiques que mon amie estimait aliénantes. Pour résumer, elle le trouvait antipathique et lui conseilla de chercher un autre thérapeute. Mais comme il tenait absolument à travailler avec elle, elle finit par céder et l'accepta en thérapie.

Dès lors qu'il devint son patient, elle s'efforça de considérer son attitude avec compassion au lieu de la mépriser ou de s'en effrayer. Elle commença alors à se rendre compte de l'extrême difficulté de certains aspects de la vie de cet homme et des multiples façons dont il s'était coupé des autres. Bientôt, elle ressentit le besoin de devenir son alliée et de l'aider à trouver un moyen de sortir de sa souffrance – sans pour autant cesser de voir le côté déplaisant de son comportement. Même si je doute qu'elle apprécie un jour son patient ou partage certaines de ses opinions, elle est aujourd'hui capable d'éprouver envers lui une profonde sollicitude.

Q La compétition est une caractéristique de ma profession, et j'ai du mal à me réjouir des succès des autres. En même temps, je me déteste de manquer à ce point de générosité. Comment puis-je gérer ces émotions ?

R Les émotions éprouvantes que vous évoquez naissent de la croyance que la réussite des autres et son propre malheur ne sont pas de simples soubresauts de la vie mais des états permanents. Se réjouir du bonheur d'autrui se révèle parfois difficile. Or cette difficulté vient de l'idée que les faveurs de l'existence sont en nombre limité, et que la bonne fortune du voisin réduit mes chances d'en profiter ; que le cadeau qui m'était destiné a été, d'une manière ou d'une autre, dévié de sa route et adressé par erreur à un autre. Au moment où vous ressentez ces émotions, ne pensez surtout pas « Je suis envieux, donc je ne suis pas quelqu'un de bien », mais observez votre réaction habituelle et la souffrance qu'elle provoque en vous.

Identifier vos idées additionnelles pourra vous conduire à lâcher prise – « Inutile de partir dans cette direction. J'y suis déjà allé. Je peux laisser passer ça » – ou, suivant l'endroit où s'enracine votre ressentiment plus profond, à comprendre que cette situation aussi finira par évoluer. Il s'agit vraiment de faire appel à la sagesse qui se trouve en nous tous en affirmant « Tout change sans cesse. Je passerai obligatoirement à autre chose à un moment où à un autre. »

L'une des façons de développer la joie empathique consiste à entrer en contact avec sa propre joie. Il est quasiment impossible de prendre plaisir au bonheur d'autrui tant que l'on s'estime soi-même démuni de tout. Comme toutes les formes de générosité spirituelle, la joie pour autrui implique un sentiment de plénitude intérieure totalement indépendant de ce que chacun possède matériellement ou objectivement sur cette terre. Être conscient de la valeur de notre vie libère nos facultés de sollicitude et notre capacité à nous réjouir des succès des autres.

Q Peut-on vraiment adresser des vœux de bonheur à quelqu'un qui n'a manifestement aucune envie de les recevoir ?

R Je n'hésiterais pas à offrir de l'amour bienveillant à cette personne. Il ne s'agit pas d'une technique pour transformer l'autre, du genre « Puisses-tu être heureux en changeant de personnalité », mais de vœux offerts librement, sans rien demander en échange. Peu importe qu'ils soient acceptés ou non, accueillis d'une manière inattendue, ou agréés longtemps après avoir été envoyés. Il n'existe pas de fonctionnement-type. Mais, si vous attendez un résultat précis – « Puisses-tu être heureux ce soir des quinze manières suivantes... » –, il vous faudra lâcher prise. Il est facile de développer des attentes lorsqu'on pratique l'amour bienveillant, en pensant par exemple : « Ça fait un mois que je t'adresse mes méditations sur l'amour bienveillant. Pourquoi n'es-tu pas plus heureux ? » Mais nous n'avons aucun contrôle sur ce qui arrive une fois que nous avons concentré sur quelqu'un notre attention empreinte de sollicitude.

Quand une personne semble perpétuer sa propre souffrance par ses choix, ses décisions ou ses actes, nous pouvons soit nous en attrister ou culpabiliser de ne pas réussir à la faire changer, soit avoir le courage de continuer à souhaiter qu'elle se libère de sa douleur sans penser que nous devrions pouvoir la transformer. C'est là qu'entre en jeu l'équanimité, cette paix sous-jacente et cette tranquillité d'esprit profonde qui permettent de ne pas se sentir ébranlé chaque fois que les choses ne se passent pas comme on l'espérait. L'équanimité est une stabilité intérieure grâce à laquelle il est possible d'accepter les choses telles qu'elles sont sans perdre pour autant ses capacités d'amour et de compassion.

POINTS CLÉS

La pratique de l'amour bienveillant ne demande pas de se mentir sur ses sentiments ni de se forcer à aimer qui que ce soit. Il s'agit avant tout d'une expérience : celle d'être attentif, plus pleinement présent à soi et aux autres, et désireux de sortir du cercle vicieux des habitudes afin de modifier son regard sur soi et sur autrui. Si l'on a tendance à ne voir que le négatif chez soi, on peut essayer de sentir ce qui se passe quand on prête attention au positif ; si l'on ne se soucie que de ses proches en ignorant le reste de l'humanité et ces visages familiers que l'on croise tous les jours sans les voir, on peut faire l'expérience de s'ouvrir, d'être attentif, intéressé et de créer un lien ; si l'on n'écoute pas vraiment son interlocuteur dans la conversation, on peut décider de s'y efforcer, dès la fois suivante ; et si l'on a l'habitude de ranger les gens dans des cases ou de les écarter d'emblée en fonction de nos a priori à leur sujet, on peut tenter de les regarder d'un œil neuf et attentif. En étant chaleureux, ouvert et intéressé, vous vous rendrez peut-être compte qu'ils sont parfois plus étonnants que vous ne le pensiez.

Une autre sorte d'expérience, cette fois purement scientifique, prouve de manière tangible le pouvoir de la méditation sur l'amour bienveillant. En 2008, des chercheurs de l'université du Wisconsin ont étudié les effets de cette pratique sur le fonctionnement cérébral. Dans ce cadre, ils ont rassemblé deux groupes : un de pratiquants novices, l'autre de pratiquants expérimentés auxquels ils ont demandé de méditer sur l'amour bienveillant. Les personnes devaient tout d'abord visualiser quelqu'un qu'elles aimaient et lui souhaiter d'être heureux, avant d'adresser ce souhait à tous les êtres et de revenir finalement à un état de repos. Au cours de leur méditation, les participants étaient exposés à des sons positifs (par exemple des rires d'enfants), négatifs (les pleurs d'un nourrisson et d'une personne qui souffrait) ou neutres (une salle de restaurant). Après avoir observé le fonctionnement neuronal des participants des deux groupes par imagerie cérébrale (IRM), les scientifiques ont comparé les clichés obtenus avec ceux réalisés sur un groupe-témoin de non-pratiquants exposés aux mêmes sons. Les images ont révélé une activation des régions cérébrales connues pour leur implication dans l'empathie chez les pratiquants mais pas au sein du groupe-témoin, ainsi qu'une plus grande empathie chez les pratiquants expérimentés que chez les novices face aux sons négatifs. Par ailleurs, les chercheurs ont noté un épaississement plus important du cortex insulaire – une zone impliquée dans la régulation des émotions – et une activité accrue au niveau de l'amygdale – la structure cérébrale chargée de décrypter le contenu émotionnel des stimuli – chez les pratiquants de l'un et l'autre groupe. Selon leurs conclusions, la méditation sur l'amour bienveillant entraînerait notre cerveau à développer notre empathie et notre capacité à décoder les états émotionnels subtils.

La méditation sur l'amour bienveillant dissipe l'illusion d'un « nous » et d'un « eux », ne laissant que la réalité du « nous ». Nous pouvons appliquer cette vision de la vie à nos rencontres et nos situations quotidiennes. « Aujourd'hui » n'existe que grâce au réseau de relations et d'influences qui nous ont menés à ce moment de notre existence. Combien de personnes ont eu une influence sur la décision de méditer que vous avez prise ? Combien de gens vous ont offert leur affection, secoué, ou parlé de leur propre pratique ? Combien vous ont poussé jusqu'à ce que vous décidiez de rechercher un plus grand calme intérieur et d'approfondir votre connaissance de vous-même ? Et que dire de ceux qui vous ont blessé, conduit jusqu'à une sorte de limite où vous avez pensé : « Il est vraiment temps que je change de voie » ou « Il faut que je trouve une autre forme de joie » ? Eux aussi ont sans doute leur part dans le fait que vous lisiez ces lignes en ce moment. Nous sommes tous projetés dans l'ici et maintenant suite à une convergence d'événements, de causes et de circonstances. Une vaste communauté de personnes nous a conduits à cet instant.

Vous avez la possibilité d'agrandir encore cette communauté humaine. Voici dix façons d'approfondir votre pratique de l'amour bienveillant, non seulement cette semaine, mais aussi au cours des suivantes.

DIX MANIÈRES D'APPROFONDIR VOTRE PRATIQUE

1. *Considérez la bienveillance comme une force, pas une faiblesse.* La bienveillance n'est pas un signe de

bêtise ou de naïveté, mais plutôt de sagesse et de courage.

2. *Cherchez ce qu'il y a de bon chez vous* – non pour vous aveugler sur vos difficultés ou vos problèmes, mais pour élargir votre point de vue et le rendre plus objectif et équilibré. Voir le positif chez soi permet de le distinguer chez les autres.

3. *N'oubliez pas que tout le monde aspire au bonheur.* À la base de tout comportement, à condition de l'examiner avec attention, on découvre le désir d'appartenir à quelque chose de plus vaste que son moi limité, l'envie de se sentir chez soi dans ce corps et cet esprit. Ce désir d'être heureux est souvent perverti et distordu par l'ignorance, le fait de ne pas savoir où se trouve la vraie source du bonheur.

4. *Souvenez-vous de ceux qui vous ont aidé ou inspiré.* Parfois, un tout petit acte de bienveillance envers nous suffit à tout changer. Cultiver la gratitude est une façon de rendre hommage aux gens qui, d'une manière ou d'une autre, nous ont fait du bien. C'est aussi un moyen de se remonter le moral et de se rappeler le pouvoir des sentiments positifs.

5. *Montrez-vous généreux au moins une fois par jour.* Nous avons tous quelque chose à donner, à prêter, petit ou grand : un sourire, un peu d'attention à l'autre lors d'une conversation. Vous pouvez laisser passer quelqu'un devant vous dans une file d'attente, offrir un petit cadeau à un collègue, ou prendre le temps d'écrire un mot de remerciement le soir avant de vous coucher. Tout acte de générosité, matériel ou spirituel, est une expression de bienveillance significative.

6. *Méditez sur l'amour bienveillant.* Chaque jour, nous pouvons prendre le temps d'ouvrir tranquillement

notre cœur aux autres et leur souhaiter d'être heureux. Le destinataire de cette méditation peut être une personne qui nous a aidés ou inspirés, un proche ou une connaissance qui se sent seule ou inquiète, ou encore quelqu'un que nous avons peur de rencontrer. Nous pouvons, suivant notre situation, offrir tout particulièrement notre méditation à des enfants ou des animaux. Dix minutes de réflexion quotidienne en ce sens suffisent à nous transformer en profondeur.

7. *Écoutez.* Souvent, nous discutons avec les gens sans être réellement attentifs à leurs propos : nous pensons au mail que nous allons envoyer ou à ce que nous avons omis de préciser à notre interlocuteur précédent, ou encore, sous prétexte que nous le connaissons, nous estimons déjà savoir ce que va dire celui qui nous parle, et donc ne pas avoir besoin de l'écouter. Revenir sur ce dossier que nous avions clos grâce à une réelle écoute constitue un geste de bienveillance important qui permet de modifier ses réactions et de transformer ses relations avec les autres.

8. *Accueillez ceux qui semblent à l'écart.* Dans les groupes, il y a parfois des personnes trop réservées pour se mêler à la conversation. De même, dans les fêtes ou les soirées, certains ont du mal à se sentir à leur place. Soyez celui ou celle qui ouvre le cercle.

9. *Évitez de dire du mal des autres.* Un de mes amis m'a raconté qu'il avait un jour pris la décision de ne jamais parler en mal de quiconque en l'absence de l'intéressé. S'il a quelque chose à dire, il s'adresse à celui que cela concerne. Si vous sentez que vous êtes tenté de rabaisser une personne, de mettre en doute le bien-fondé de ses intentions ou, plus globalement, de démontrer son infériorité, prenez une grande inspiration.

Même si, sur l'instant, ce genre de propos peut procurer un sentiment de pouvoir, au final, on ne gagne rien à diviser les gens et à semer les graines de la discorde et de l'antipathie. Il est tout à fait possible de parler d'un comportement regrettable sans s'en moquer ni le condamner.

10. *Mettez-vous à la place de l'autre avant de le juger.* Comme le suggère cette phrase, on peut décider de faire preuve de fermeté pour essayer de changer le comportement d'une personne tout en la comprenant et en éprouvant de l'empathie à son égard. Ces sentiments ne nous affaiblissent en rien. Cette bienveillance permet au contraire d'agir avec plus de compassion et de créativité.

Semaines suivantes

POURSUIVRE LA PRATIQUE
« Assieds-toi, tout simplement »

Un jour, un ami avec qui je déjeunais m'a confié : « Ça fait trois ans que je médite et, pour être franc, ce qui se passe durant l'assise ne ressemble pas à ce que j'attendais ou espérais : je continue d'avoir des hauts et des bas, l'esprit qui vagabonde et que je dois ramener au présent, et des moments où je m'assoupis ou me sens sur les nerfs.

» Malgré tout, j'ai complètement changé. Je suis plus gentil et plus patient avec ma famille et mes amis, mais aussi avec moi-même. Je suis plus impliqué dans la vie sociale. Je réfléchis davantage aux conséquences de mes actes et à mes réactions automatiques face à une situation. Ça suffit ?

— Oui, lui ai-je répondu, ravie. Je crois que ça suffit ! »

Voilà pourquoi nous méditons : pour nous comporter avec plus de compassion, améliorer nos relations avec nos amis, notre famille et la société, vivre en étant plus connectés aux autres et ne pas perdre contact avec ce qui compte vraiment à nos yeux afin d'agir en accord avec nos valeurs, y compris dans les moments d'épreuve.

L'une des choses qui m'a toujours étonnée à propos de la pratique de la méditation, c'est la différence d'échelle entre notre zone d'action qui semble si étroite – nous, dans une pièce – et l'importance des prises de conscience et des leçons sur l'existence qui en découlent.

Le processus consiste à essayer sans cesse d'accueillir notre expérience, quelle qu'elle soit, en pleine conscience, dans un climat de bienveillance et de compassion. Cette façon d'être permet de se rendre compte que tout est toujours en évolution et de l'accepter. Dans la méditation, nous nous efforçons d'être disponibles, ouverts à ce que nous cherchions à éviter, de nous montrer patients avec nous-mêmes et les autres, et de lâcher nos a priori, nos projections et notre tendance à ne vivre qu'à moitié.

La pratique de la méditation nous aide à nous débarrasser des vieilles habitudes douloureuses ; elle remet en question nos idées préconçues sur notre droit au bonheur. (Oui, nous avons le droit d'être heureux, affirme-t-elle avec force.) Elle insuffle également en nous une puissante énergie vitale. Grâce à une pratique solide, nous pouvons commencer à modifier notre vie en apprenant à nous respecter, à être calmes plutôt qu'anxieux et à offrir aux autres une attention empreinte de sollicitude sans nous laisser freiner par des préjugés qui prônent la division.

Cependant, même en étant conscient de tout l'intérêt que présente la méditation, il est parfois difficile pour les débutants de continuer la pratique. Vous trouverez ci-dessous quelques suggestions pour poursuivre votre effort au cours des semaines à venir.

SUGGESTION

Essayez de pratiquer quotidiennement, avec des sessions de vingt minutes minimum. Si c'est possible, prolongez parfois les sessions jusqu'à trente ou quarante-cinq minutes.

Au cours de ces quatre semaines, vous avez eu l'occasion d'expérimenter plusieurs formes de méditation. À condition de continuer à les pratiquer, toutes porteront leurs fruits. Le premier mois, choisissez-en une par session. En gagnant en expérience et en confiance, vous aurez peut-être envie de diviser la session, par exemple entre les deux méditations de base : sur la respiration et l'amour bienveillant, ou entre une marche méditative et une méditation sur les émotions. À vous de voir. La méditation sur la respiration reste notre socle, notre point d'ancrage, tandis que méditer en marchant ou en mouvement est un bon moyen d'intégrer la pratique dans le quotidien. Si à certains moments vous ressentez le besoin de vous focaliser plus sur le corps, choisissez un exercice comme le scan corporel abordé en Semaine 2. Si vous vous sentez anxieux ou déstabilisé, une méditation sur l'amour bienveillant pourra être utile. L'important, c'est de pratiquer vraiment, de mettre réellement en œuvre vos facultés de concentration, de pleine conscience et d'amour bienveillant.

Au tout début de ma pratique, j'avais le sentiment que la pleine conscience m'attendait dans un lieu où je n'arriverais qu'après beaucoup d'efforts et de détermination, mais qu'un jour, après d'âpres luttes, j'obtiendrais enfin mon moment de pleine conscience – un peu comme on plante un drapeau au sommet d'une montagne.

Ma vision des choses a changé le jour où j'ai compris que la pleine conscience ne se trouvait pas dans un endroit inaccessible ou éloigné mais avait toujours été là, en moi. À l'instant où je m'en suis souvenue – où j'ai remarqué que j'oubliais de la pratiquer –, elle était là ! Je n'avais pas besoin d'améliorer mes facultés de pleine conscience ni de les mettre au niveau de qui que ce soit. Elles étaient déjà parfaitement opérationnelles. Comme les vôtres. Sauf que, pris par le quotidien et la complexité des relations humaines, nous oublions cette vérité. C'est l'une des raisons pour lesquelles nous pratiquons la pleine conscience : pour la garder à l'esprit et nous rappeler plus naturellement et plus souvent d'y recourir au cours de la journée. Une pratique régulière permet à la pleine conscience de devenir partie intégrante de nous-mêmes.

La méditation n'est jamais uniforme. Vous ferez l'expérience de moments de paix, de tristesse, de joie, de colère ou de somnolence. Le terrain bouge continuellement alors que nous avons tendance à le figer dans ses aspects négatifs, que nous percevons comme immuables. Le fait de se fixer sur ce qui ne va pas est une tendance que nous pouvons examiner en pleine conscience – une inclination qu'il est possible d'identifier, de nommer, d'observer, de mettre à l'épreuve et d'éliminer grâce aux aptitudes que nous développons dans la pratique.

Au fil de celle-ci, vous vous apercevrez que, comme durant ce premier mois d'apprentissage, aucune session ne ressemble totalement à la précédente. Certaines assises procurent un sentiment merveilleux, tandis que d'autres sont difficiles à supporter, transformées en champ de bataille par l'attaque en masse de tout ce qui nous dérange à la puissance dix. Mais l'ensemble de ces expériences sont partie intégrante du processus. Une session désagréable a autant de valeur qu'une session plaisante – peut-être même plus, dans la mesure où nous pouvons en tirer encore plus de leçons. Tout peut être contemplé en pleine conscience : la joie, le chagrin, l'angoisse. Peu importe ce qui se passe ; la transformation naît du nouveau type de rapport que nous établissons avec l'expérience.

J'ai mené récemment un enseignement aux côtés du psychiatre et écrivain Mark Epstein. Au cours de celui-ci, Mark a déclaré qu'il essayait de partir en retraite de méditation chaque année depuis le début de sa pratique, en 1974. Chaque fois, il inscrit dans un carnet ce qu'il considère comme sa principale prise de conscience ainsi que la déclaration la plus éclairante, profonde ou provocante de l'instructeur. Il y a quelques années, il a décidé de relire ce carnet. Pour constater avec stupéfaction que retraite après retraite, il notait quasiment toujours la même chose, à savoir que « le contenu de notre expérience est beaucoup moins important que la façon dont nous nous y relions. »

On pourrait reformuler cette découverte de diverses manières : « Quoi qu'il se passe, nous pouvons apprendre à changer notre façon de l'aborder » ;

« Nous avons la capacité d'appréhender les pensées et les émotions, quelles qu'elles soient, en pleine conscience et sans perdre notre stabilité » ; « Si désagréable que soit l'émotion qui surgit, nous avons le pouvoir de la lâcher ». Autant de formulations susceptibles de vous soutenir dans vos efforts les jours où vous n'aurez aucune envie de vous asseoir pour méditer.

Selon des paroles attribuées à Albert Einstein, on ne peut pas résoudre un problème résultant d'un certain niveau de réflexion en l'abordant à ce même niveau. Modifier son point de vue, réfléchir à un niveau différent et changer son mode de réaction habituel demande une bonne dose de courage. Vous trouverez ci-dessous quelques conseils susceptibles de vous aider au moment où votre courage vacille – quand vous vous sentez trop effrayé (ou fatigué, las, les articulations raides) pour poursuivre votre pratique.

Recommencez

Si vous sentez que vous avez du mal à vous autodiscipliner ou que votre engagement faiblit, rappelez-vous en premier lieu que c'est là une réaction naturelle, et qu'il n'y a aucune raison de vous la reprocher. Cherchez la motivation là où vous avez le plus de chance de la trouver : en lisant de la poésie ou de la prose qui vous inspire, en dialoguant avec des amis qui partagent votre vision des choses, en rejoignant une communauté ou un groupe de pratiquants, ou encore en formant votre propre groupe de méditation. Si vous ne tenez pas de journal de méditation, commencez-en un. Et rappelez-vous que même si vous pensez que la situation est catastrophique, même si vous n'avez pas médité depuis très longtemps, *vous pouvez toujours recommencer*. Rien n'est perdu, rien n'est fichu. Nous avons toujours cette perspective face à nous : nous pouvons recommencer.

Les méditations présentées dans cet ouvrage constituent d'excellents outils pour ce nouveau départ. Elles sont conçues pour être lues encore et encore. Ne les balayez pas de votre esprit en vous disant « J'ai déjà lu ça, j'ai compris. » Vous gagnerez à les revisiter. Elles sont autant d'occasions de pratiquer et vous sembleront de plus en plus profondes au fil du temps. Aucune session ne ressemble à la précédente. Pratiquez ces méditations quotidiennement et observez les différences : à quel point vous vous sentez connecté un jour et absent un autre. Les bons et les mauvais jours nous en apprennent beaucoup. Et le lendemain contient la promesse d'une expérience toute neuve.

« *Assieds-toi, tout simplement* »

Un jour, je me suis plainte à mon instructeur Munindra-Ji de ne pas réussir à m'installer dans une pratique régulière. « Une fois que je suis assise et que je médite, c'est super. Je me sens euphorique, j'ai confiance, et je sais que la méditation est la chose la plus importante de ma vie, lui ai-je expliqué. Mais dès que je ne vais pas bien, j'arrête. Je n'ai plus la foi, je me sens découragée, et je laisse tomber. » En guise de réponse, il m'a donné un merveilleux conseil : « Assieds-toi, tout simplement. C'est tout ce que tu as à faire, juste t'asseoir. Ton esprit s'occupera d'un tas de choses à la fois, mais ton corps sera simplement assis là. Car c'est l'expression de ta détermination. Le reste suivra. »

Bien sûr vient un moment où il faut évaluer sa pratique, vérifier son utilité et si le résultat mérite que l'on continue. Mais cette évaluation ne s'effectue pas toutes les cinq minutes, à moins de s'extraire continuellement du processus. Et pour apprécier ses progrès, il est nécessaire de se focaliser sur le bon critère et se poser les questions cruciales : Ma vie a-t-elle changé ? Suis-je plus stable, plus apte qu'avant à suivre le courant ? Ma bienveillance s'est-elle développée ? Le reste du temps, contentez-vous de vous asseoir.

Peut-être pensez-vous « Je ne suis pas assez discipliné pour pratiquer régulièrement ». Pourtant, vous pouvez vraiment réussir à vous poser, jour après jour. Nous faisons souvent preuve d'une grande discipline face aux exigences extérieures : pour gagner notre vie, conduire les enfants à l'école, laver le linge, que cela nous plaise ou non. Pourquoi n'arriverions-nous pas à être aussi disciplinés (juste quelques minutes par jour) lorsqu'il s'agit de notre bien-être intérieur ? Si vous pouvez trouver suffisamment d'énergie pour vous occuper de la lessive, vous pouvez également en trouver pour « vous asseoir, tout simplement » afin de vivre mieux.

Rappelez-vous qu'on ne change pas du jour au lendemain

Pour reprendre une image courante, la méditation, c'est un peu comme essayer de fendre une énorme bûche à l'aide d'une petite hache. Vous frappez cette bûche quatre-vingt-dix-neuf fois sans que rien ne se passe, puis au centième coup elle se fend en deux. « Qu'ai-je fait de différent cette fois ? vous étonnez-vous alors. Ai-je tenu ma hache autrement ? Modifié la position de mon corps ? Pourquoi ça a marché la centième fois et pas les quatre-vingt-dix-neuf autres ? »

C'est ignorer qu'il fallait tous les coups précédents pour fragiliser la fibre du bois. La sensation n'est pas très plaisante lorsqu'on abat la hache pour la trente-quatrième ou trente-cinquième fois : on a l'impression de ne pas avoir progressé d'un pouce. Pourtant, on a avancé, et pas uniquement parce que les coups donnés ont fragilisé le bois. Ce qui constitue l'évolution, c'est notre volonté de continuer, notre disponibilité à ce qui est possible, notre patience, nos efforts, la connaissance de plus en plus profonde que nous avons de nous-mêmes et la force née de notre détermination. Ces facteurs intangibles sont à la base de notre réussite. Or ils s'amplifient et s'approfondissent à mesure que nous pratiquons, y compris quand nous sommes somnolents, agités, agacés ou anxieux. Au fil du temps, ces qualités nous mènent à la transformation. Ce sont elles qui fendent le bois – et ouvrent le monde.

Servez-vous du quotidien

Vous pouvez recourir à la force de la pleine conscience et de l'amour bienveillant à n'importe quel moment sans même que cela se remarque. Rien ne vous oblige à marcher à deux à l'heure dans les rues d'une grande métropole en vous attirant les regards suspicieux des autres passants (en fait, il vaut mieux éviter). On peut être conscient de manière plus discrète.

Au cours d'une réunion, pendant une conversation téléphonique ou en promenant le chien, concentrez-vous sur votre souffle ou le contact du sol sous vos pas ; cela vous aidera à être plus attentif et sensible à tout ce qui se passe autour de vous. Plusieurs fois dans la journée, faites une pause dans le flux incessant de vos activités pour simplement être : mangez ou nourrissez votre bébé en pleine conscience, écoutez les bruits autour de vous. Même dans les situations difficiles, cet arrêt vous apportera un sentiment de connexion, ou vous soulagera de vos idées obsessionnelles sur ce qui vous manque, ou la façon dont les choses devraient se passer ou telle personne se comporter pour que vous puissiez être heureux dans le futur.

Lors d'une retraite de méditation, il me fallait monter et descendre un escalier de nombreuses fois par jour, et j'ai décidé de faire de cette obligation une occasion de pratiquer. Dès que je m'apprêtais à monter ou descendre les marches, je m'arrêtais un instant pour me rappeler d'être attentive à mes mouvements. Cette résolution s'est révélée utile et amusante. J'ai également pris la décision de pratiquer l'amour bienveillant chaque fois que je me retrouverais dans une situation d'attente. Ainsi, dans une file au supermarché, chez le médecin, avant de prendre la parole à une conférence, mais aussi dans tous les transports, avion, métro, bus, voiture (où j'attends soit qu'une place se libère, soit d'arriver quelque part) et en marchant dans la rue, je commence : « Puissé-je être en paix ; puissé-je être en sécurité ; puissé-je être heureux. » Pourquoi ne pas profiter de ces « entre-deux » pour générer la force de l'amour bienveillant ? Il y a de grandes chances que vous vous aperceviez que cette intégration de la méditation dans votre expérience quotidienne constitue un bon moyen de donner corps à votre pratique.

Il y a quelques années, mes collègues de l'Insight Meditation Society et moi-même avons reçu un instructeur indien que nous avons accompagné à travers les États-Unis afin de le présenter aux différentes associations intéressées par la méditation. À la fin de son séjour, nous lui avons demandé ce qu'il pensait de l'Amérique. « C'est un pays merveilleux, bien sûr, nous a-t-il répondu. Mais parfois, les pratiquants d'ici me font penser à des gens dans une barque qui rameraient avec enthousiasme tout en refusant de détacher leur embarcation du ponton.

» J'ai l'impression, a-t-il poursuivi, que certains d'entre eux méditent dans l'espoir de vivre de grandes expériences transcendantes ou de se retrouver dans des états de conscience différents et extraordinaires. Ils ne semblent pas beaucoup s'intéresser à la manière dont ils parlent à leurs enfants ou traitent leurs voisins. »

Tout ce que nous faisons reflète notre façon d'être. Il est important de vérifier si notre vie en général est en adéquation avec notre pratique. Sommes-nous en accord avec nos valeurs les plus profondes ? Recherchons-nous les sources du vrai bonheur ? Appliquons-nous les enseignements de la pleine conscience, de la concentration et de l'amour bienveillant dans tous les domaines de notre existence ? Avec le temps et la pratique, l'accord se fait naturellement, mais en attendant il est important d'examiner notre vie dans sa globalité pour voir si nous repérons des décalages que nous aimerions rectifier. Y a-t-il un écart entre nos valeurs dans la sphère de la méditation et celles dont nous faisons preuve dans le monde – par exemple, nos habitudes de consommation, la façon dont nous nous comportons avec une personne donnée, ou comment nous prenons soin de nous ? Si nous trouvons une dissonance quelque part, nous avons les outils pour rétablir l'harmonie.

FAQ

(Foire aux questions)

Q Comment puis-je être certain de bien méditer ? À quel moment verrai-je un changement ?

R Souvenez-vous que, dans le domaine de la méditation, réussir ne signifie pas accumuler des expériences extraordinaires. Il ne s'agit pas d'un concours dans lequel il faudrait atteindre un maximum de respirations en pleine conscience. C'est en recommençant avec bienveillance, en ramenant avec délicatesse votre esprit au présent chaque fois que vous vous égarez en pensée, que vous le transformerez. Vous apprenez à établir un contact différent avec votre corps, vos émotions et vos pensées. Rappelez-vous : l'enjeu n'est pas de mieux méditer, mais de mieux vivre.

Les effets de cette transformation seront peut-être encore plus visibles dans votre quotidien que dans votre pratique formelle. Il est même possible que les autres les remarquent avant vous. Mais au fil du temps, vous vous rendrez compte que vous abordez chaque expérience avec un surcroît de conscience et une plus grande stabilité. L'un des changements les plus profonds et les plus considérables sera une confiance croissante en votre capacité à vous aimer et à aimer les autres.

Q Chaque fois que j'arrive à me sentir l'esprit clair et centré quelques minutes dans une méditation, je commence à paniquer. Alors je pense « C'est fichu » et j'ai envie d'arrêter. Ce que je fais d'ailleurs de temps en temps. Est-ce que c'est courant ?

R Beaucoup de gens décrivent une expérience analogue. Leur énergie jusqu'alors éparpillée se rassemble, et ils éprouvent une paix profonde, voire une certaine béatitude. Or ce sentiment effraie parfois. À partir du moment où ils ne nous sont pas familiers, même les états d'esprit positifs peuvent faire peur.

Il existe des moyens d'élargir le champ de conscience afin d'y englober à la fois la peur et le désarroi. Vous pouvez, par exemple, écouter les sons qui vous entourent, ce qui élargira votre espace intérieur, ou encore méditer en marchant afin d'augmenter votre énergie et de contrebalancer le calme profond qui vous effraie. Quoi que vous fassiez, essayez d'aller au bout de votre session au lieu de vous arrêter dès que vous pensez « c'est fichu ». Il est très important de rester fidèle au cadre que vous vous êtes fixé. Une fois cet engagement pris, employez votre énergie afin que votre méditation ne se transforme pas en lutte.

Q Ça paraît tellement dur de pratiquer tous les jours. Comment puis-je m'y tenir ?

R Une pratique quotidienne constitue le meilleur moyen d'intégrer la méditation à sa vie. Cependant, cette régularité peut être difficile à observer et représenter un engagement trop lourd. Mon collègue Joseph Goldstein a pris un jour la décision de ne jamais se coucher sans s'être installé au moins une fois en assise dans la journée. Il s'agit là d'un engagement de trente secondes.

Voilà ce que je vous suggère : si vous n'avez pas eu de pratique formelle dans la journée, avant d'aller au lit, prenez juste le temps de vous asseoir dans votre posture de méditation habituelle. Notez les effets de cette assise sur votre état d'esprit. Bien sûr, parfois le seul fait de prendre la posture nous pousse à méditer. C'est généralement au début que la résistance est la plus forte ; une fois que l'on a commencé, il est plus facile de continuer.

Si vous suivez ce conseil avant de vous coucher, essayez de voir dans quelle mesure l'assise influe sur la qualité de votre sommeil et sur vos rêves. Personnellement, je dors mieux après avoir médité, car cela me débarrasse du bourdonnement et de l'agitation des pensées de la journée.

Il est plus facile de suivre ce genre de résolution que de se promettre « Je vais méditer deux heures par jour et la moitié du week-end. » Même si votre session ne dure que trente secondes, au moins vous vous serez posé et connecté un court instant à vous-même.

Q J'ai déjà essayé deux ou trois fois de méditer, mais ça n'a jamais duré plus d'une semaine. Que pourrais-je faire pour ne pas laisser tomber ?

R Parfois, le simple fait de reconnaître sa difficulté à s'engager dans une pratique suivie facilite les choses. Et « difficile » ne veut pas dire « impossible ». Vous apprendrez sans doute beaucoup en observant ce qui vous pousse généralement à abandonner. Pour moi, il s'agissait le plus souvent de jugements sur moi, d'impatience, ou du sentiment d'avoir perdu la petite lueur perçue dans ma session de la veille, tellement plus paisible. Mais en développant une perspective à plus long terme, j'ai constaté que même quand il semblait ne rien se passer chaque session était importante et portait ses fruits.

Après la création de l'Insight Meditation Society (Association de méditation de la vision profonde) en 1976, nous avons reçu en un mois deux lettres contenant une erreur dans le nom du destinataire. La première était adressée à l'Instant Meditation Society (Association de méditation instantanée), une appellation particulièrement éloquente, étant donné la précipitation qui caractérise généralement notre société ; la seconde avait été envoyée à l'Hindsight Meditation Society (Association de méditation rétrospective), une dénomination tout aussi révélatrice dans la mesure où les fruits de nos efforts et de notre engagement nous apparaissent souvent après coup.

Personnellement, je me sens souvent plus encline à pratiquer lorsque je dédie ma session à quelqu'un, méditant ainsi pour notre bien-être à tous deux. Il peut s'agir d'une personne qui m'a aidée, d'une connaissance en proie à la confusion ou traversant une période difficile, ou encore d'un personnage public. Ainsi, je ne vois plus seulement ma méditation comme un cadeau que je me fais à moi-même mais également comme une offrande à autrui, ce qui me pousse à continuer. (Reportez-vous page 186 pour un exemple de ce type de méditation.)

Q Comment faire pour retrouver la motivation quand on s'ennuie en méditant ?

R Il m'arrive de penser que l'une des meilleures choses qui puisse m'arriver au cours de ma pratique, c'est de m'ennuyer. L'ennui fait partie de la gamme des sentiments que nous sommes censés éviter à tout prix. Toute la structure de notre société, depuis l'instant de notre naissance jusqu'à celui de notre mort, semble avoir été édifiée dans la perspective de lui échapper. Dès le premier signe de lassitude, nous devons *faire* quelque chose, *acheter* quelque chose, n'importe quoi pourvu que cette sensation disparaisse. D'où l'intérêt de nous permettre de rester simplement assis avec notre ennui et de lui prêter attention.

Lorsque nous examinons les racines de notre sentiment d'ennui et les antidotes possibles, nous nous rendons compte que celui-ci possède diffé-rents visages. Parfois, l'ennui naît de la neutralité de l'expérience. Car notre conditionnement nous a aussi appris à avoir besoin de vivre des hauts et des bas émotionnels intenses pour nous sentir vivants. S'ouvrir et rester présent à l'intérieur de l'espace neutre de la méditation requiert un effort. L'écoute vigilante et intentionnelle des expériences ordinaires – la respiration, un son – peut nous y aider.

L'ennui peut aussi constituer une sorte d'attente. Nous estimons que ce qui se passe n'est pas assez bien et nous perdons patience en espérant que surviendra quelque chose de plus intéressant. L'antidote consiste à remarquer ce qui se produit et à être totalement présent le temps d'une respiration. Vous n'avez pas à vous inquiéter de la prochaine respiration, juste à être vraiment là pendant celle-ci. Alors arrive la suivante. C'est ainsi que tout s'imbrique.

Souvent, on compte sur une transformation de l'objet observé pour nous délivrer de l'ennui, sauf que ce n'est généralement pas l'objet le problème, mais notre manque de présence. En réalité, si nous lui prêtions totalement attention, ce même objet si familier (le souffle, nos pensées et nos émotions, la marche, manger une pomme, faire la vaisselle) serait beaucoup moins ennuyeux.

Q Ma pratique de la méditation semble ne me mener nulle part et me fait vraiment souffrir. Avez-vous des suggestions ?

R Une certaine « qualité » de souffrance constitue parfois un bon système d'information sur ce qui se passe à l'intérieur de soi, une sorte d'autocontrôle.

Souvent, nous décidons d'avance, consciemment ou non, de la tournure que devraient prendre les choses et nous déprécions ou méprisons tout ce qui ne va pas dans ce sens. Nous critiquons notre pratique ou nous critiquons nous-mêmes. Le jour où nous devenons conscients de ces jugements, nous avons appris quelque chose d'important sur nous-mêmes.

Si notre pratique est douloureuse, cherchons ce que cette souffrance peut nous enseigner, non seulement dans le cadre de la méditation, mais surtout sur notre comportement habituel face aux aléas de la vie. Par exemple, c'est en observant ma réaction face à ma douleur au genou pendant l'assise que j'ai découvert ma tendance à projeter ma souffrance actuelle, physique ou psychique, dans le futur, déjà convaincue que rien ne changerait jamais. Si bien que je me sentais vaincue d'avance. Mon attitude face à la colère qui surgissait au cours des sessions m'a également montré que j'avais peur de certaines émotions et qu'en les ignorant j'augmentais leur pouvoir. Quant à ma difficulté à accepter les vagabondages de mon esprit, elle m'a révélé à quel point je me jugeais. Elle m'a aussi appris à recommencer, à m'ouvrir à tout ce qui se présentait, à remplacer l'autocritique par la bienveillance et à modifier mon rapport à la souffrance dans la vie en général.

Nous avons tous nourri des espoirs concernant notre pratique de la méditation. Or l'important n'est pas d'atteindre un idéal ou d'y correspondre, mais d'être conscient de la totalité des états mentaux dont nous faisons l'expérience. C'est là un message difficile à intégrer et qu'il est bon de nous répéter encore et encore.

CONCLUSION

Un ami à qui je demandais un jour ce qui avait changé pour lui depuis qu'il méditait m'a fait cette réponse sans la moindre hésitation : avant, il avait l'impression que, quoi qu'il se passe dans sa tête, l'action était écrasante et inébranlable, et se jouait à guichets fermés dans un tout petit théâtre. Depuis qu'il a commencé à pratiquer, il observe le contenu de son esprit avec le même sentiment que s'il s'agissait d'un opéra interprété en plein air. Il ne se sent plus du tout écrasé et ne perçoit plus les pensées et les émotions qui le traversent comme des entités compactes et immuables.

Je n'ai eu aucun mal à comprendre son image. Peu de temps avant cette conversation, j'avais assisté à mon premier opéra en plein air à Santa Fé, au Nouveau-Mexique. Le spectacle des personnages en train de se débattre dans des situations et des émotions extrêmement compliquées sous l'immensité du ciel était saisissant : que l'action soit dramatique, voire mélodramatique, que l'atmosphère sur scène soit désespérée ou extatique, l'arrière-plan restait toujours le ciel ouvert et infini. La pratique de la méditation vise à apporter cette vision vaste comme le ciel. À élargir la perspective. Nous n'avons peut-être pas le pouvoir de modifier les circonstances de notre vie, mais nous avons celui de changer notre manière de les aborder.

La méditation nous aide également à arrêter de chercher le bonheur aux mauvais endroits. Nous comprenons que le bonheur vrai et durable ne naît pas de la satisfaction temporaire de nos besoins. Ce genre de satisfaction, au contraire, conduit souvent à un cycle sans fin de déceptions et de désirs : puisque l'objet que nous convoitions ne suffit pas à nous contenter, nous montons la barre plus haut et aspirons à toujours plus.

Non seulement le bonheur conventionnel – la consolation d'une distraction passagère – ne dure pas, mais il peut entraîner un isolement empreint d'une peur sousjacente. Car même lorsque tout va bien se mêle au plaisir le sentiment obsédant de la fragilité de notre bien-être, et avec lui l'idée de devoir le protéger à tout prix. Or personne ne peut faire l'expérience de la joie véritable en restant sur ses gardes et en se coupant des autres. Ce n'est qu'en s'ouvrant à tous les aspects de l'existence que nous pouvons vraiment être heureux.

Le bonheur authentique dépend de notre manière d'être attentif. En développant notre attention grâce à la méditation, nous nous connectons à nous-mêmes, à notre propre expérience, puis aux autres. Le simple fait d'être totalement attentif et présent à une autre personne est un acte d'amour qui nourrit un sentiment de bien-être inébranlable. C'est une joie qui n'est subordonnée à aucune situation, et donc insensible aux soubresauts de l'existence.

Grâce à une pratique régulière de la méditation, nous découvrons le bonheur vrai de la simplicité, du contact, de la présence. Nous apprenons à échapper aux pièges de l'impulsivité et de ses vieux schémas. Nous prenons plaisir à être intègres, et nous nous sentons bien dans notre corps, notre esprit et notre vie. Nous nous rendons compte que point n'est besoin de chercher la satisfaction à l'extérieur de soi. Chaque jour, nous tendons à vivre un peu plus en accord avec cette merveilleuse citation de Wordsworth : « Le regard pacifié par le pouvoir de l'harmonie et de la joie profonde, nous percevons la vie à l'intérieur des choses. »

Je pose souvent à mes étudiants la question suivante : Si vous connaissiez une activité simple et sans danger qui, à raison de vingt minutes par jour, vous permettait de venir en aide à un ami en difficulté, la pratique-riez-vous ? Leur réponse, évidemment, est oui, sans hésitation. Or le fait de passer ces mêmes vingt minutes à nous aider nous-mêmes semble nous mettre mal à l'aise. Nous avons peur d'être trop complaisants avec nous-mêmes, égocentriques. Pourtant, en nous venant en aide, nous aidons aussi nos amis. Notre propre bonheur, s'il est authentique, est la source à partir de laquelle il nous est possible de donner aux autres. Pour reprendre les mots de Thich Nhat Hanh : « Le bonheur est à portée de main… servez-vous. »

Ressources

Méditation laïque

École occidentale de méditation
www.ecole-occidentale-meditation.com

Bouddhisme vietnamien

Village des Pruniers
Le Pey
24240 Thénac
05 53 58 48 58
http://villagedespruniers.net
Courriel : info@plumvillage.org

Bouddhisme tibétain

Dhagpo Kagyu Ling
Landrevie
24920 Saint-Léon-sur-Vézère
05 53 50 70 75
www.dhagpo-kagyu-ling.org
Courriel : accueil@dhagpo-kagyu.org

Dachang Vajradhara-Ling
Centre d'étude et de pratique du bouddhisme tibétain
Domaine du château d'Osmont
61120 Aubry-le-Panthou
02 33 39 00 44
www.vajradharaling.org
Courriel : webmaster@vajradharaling.org

Rigpa France
www.rigpafrance.org

Karma Migyur Ling
Centre d'étude et de pratique du bouddhisme tibétain de
    Montchardon
38160 Izeron
04 76 38 33 13
www.montchardon.org

Centre d'études de Chanteloube
La Bicanderie
24290 Saint-Léon-sur-Vézère
05 53 50 75 24
www.chanteloube.asso.fr
Courriel : chanteloube@wanadoo.fr

Bouddhisme vipassana (Asie du Sud-Est)

Vipassana (lignée Sayagyi U Ba Khin/Goenka)
Dhamma Mahi
Le Bois-Planté
89350 Louesmé
03 86 45 75 14
www.mahi.dhamma.org

Vipassana (lignée Mahasi Sayadaw)
http://vipassanasangha.free.fr

Terre d'éveil – vipassana
8, rue Crébillon
94300 Vincennes
01 43 28 29 51
www.vipassana.fr

Centre Vimalakirti
Rue du Colombier, 5
1202 Genève
022 345 12 53
www.vimalakirti.org

Bouddhisme zen

Association Zen Internationale ou AZI
175, rue Tolbiac
75013 Paris
01 53 80 19 19
www.zen-azi.org
www.dojozenparis.com

Association Zen Dogen Sangha
Temple Zen Gudo-Ji
156 *ter*, cours Tolstoo
69100 Villeurbanne
06 80 02 55 31
www.dogensangha.fr/

La Falaise verte
La Riaille
07800 Saint-Laurent-du-Pape
04 75 85 10 39

www.falaiseverte.org
Courriel : falaise-verte@wanadoo.fr

Un zen occidental
www.zen-occidental.net/
Courriel : info@zen-occidental.net

Centre zen Dana
www.dana-sangha.org/fr/start_fr.htm

Remerciements

J'aimerais exprimer ma reconnaissance à tous ceux qui ont rendu possible l'élaboration de cet ouvrage. Amy Gross, qui a longtemps désiré un tel livre, m'a encouragée à le rédiger ; Nancy Murray m'a orientée vers les Éditions Workman en me rappelant les raisons pour lesquelles je voulais écrire et celles qui avaient motivé ma démarche ; Suzie Bolotin n'a jamais perdu foi en moi.

Rachel Mann s'est chargée de la documentation scientifique ; Joan Oliver a classé les questions et réponses que j'avais enregistrées ; Joy Harris m'a toujours merveilleusement guidée ; et Ambika Cooper m'a soutenue de mille façons.

Judith Stone, par son travail précieux, est devenue un élément essentiel de ce projet, et Ruth Sullivan s'est révélée une éditrice formidable, d'une patience rare.

Puisse ce livre profiter et apporter de la joie à de nombreuses personnes.

Table

Shawn Achor
Comment devenir un optimiste contagieux, 2012

Bashô, Issa, Shiki
L'Art du haïku. Pour une philosophie de l'instant, 2009

Tal Ben-Shahar
L'Apprentissage du bonheur. Principes, préceptes et rituels pour être heureux, 2008
L'Apprentissage de l'imperfection, 2010
Apprendre à être heureux. Cahier d'exercices et de recettes, 2010

Andrew Bienkowski
Le Grand-père et le Veau. Leçons de vie et d'espoir, 2012

David Burns
Bien ensemble. Comment résoudre les problèmes relationnels, 2010

Yu Dan
Le Bonheur selon Confucius. Petit manuel de sagesse universelle, 2009

David Deida
L'Urgence d'être. Zen et autres plaisirs inattendus, 2009

Norman Doidge
Les Étonnants Pouvoirs de transformation du cerveau. Guérir grâce à la neuroplasticité, 2008

Stefan Einhorn
L'Art d'être bon. Oser la gentillesse, 2008

Robert Emmons
Merci ! Quand la gratitude change nos vies, 2008

Les Fehmi et Jim Robbins
La Pleine Conscience. Guérir le corps et l'esprit par l'éveil de tous les sens, 2010

Gerd Gigerenzer
Le Génie de l'intuition. Intelligence et pouvoirs de l'inconscient, 2009

Christopher Hitchens
dieu n'est pas Grand. Comment la religion empoisonne tout, 2009

Ursula James
La Source. Manuel de magie quotidienne, 2012

Dan Josefsson et Egil Linge
Du premier rendez-vous à l'amour durable. Identifier ses problèmes relationnels, se libérer de l'insécurité affective, vaincre la peur de l'engagement et construire enfin une relation durable, 2012

Jack Kornfield
Bouddha mode d'emploi, 2011

Satish Kumar
Tu es donc je suis. Une déclaration de dépendance, 2010

John Lane
Les Pouvoirs du silence. Retrouver la beauté, la créativité et l'harmonie, 2008

Martha Lear
Mais où sont passées mes lunettes ? Comment gérer au quotidien les petits troubles de la mémoire, 2009

Roberta Lee
SuperStress. La solution, 2011

Dzogchen Ponlop Rinpoché
Bouddha rebelle. Sur la route de la liberté, 2012

Richard David Precht
Qui suis-je et, si je suis, combien ? Voyage en philosophie, 2010
Amour. Déconstruction d'un sentiment, 2011
L'Art de ne pas être un égoïste. Pour une éthique responsable, 2011

Mark Rowlands
Le Philosophe et le Loup. Liberté, fraternité, leçons du monde sauvage, 2010

Gretchen Rubin
Opération bonheur. Une année pour apprendre à chanter, ranger ses placards, se battre s'il le faut, lire Aristote… et être heureux, 2011

Branda Shoshanna
Vivre sans peur. Sept principes pour oser être soi, 2011

Adam Soboczynski
Survivre dans un monde sans pitié. De l'art de la dissimulation, 2011

Composition et mise en pages : FACOMPO, LISIEUX

Achevé d'imprimer par Dupli-Print à Domont (95)
en novembre 2015

Dépôt légal : mai 2013
N° d'impression : 2015110221

Imprimé en France